シリーズ「遺跡を学ぶ」056

大友宗麟の戦国都市

豊後府内

玉永光洋・坂本嘉弘

新泉社

大友宗麟の戦国都市
—豊後府内—
玉永光洋・坂本嘉弘

【目次】

装幀　新谷雅宣
本文図版　松澤利絵

第1章　Bungoと大友宗麟

Japanに並立するBungo

「カスチリア（スペインの一地方）人はこの島々（日本）をプラタレスアス（銀の島）とよんでいる」

これは天文二一年（一五五二）、フランシスコ・ザビエルが二年間の日本滞在を終えインドのゴアから、ポルトガルのロドリゲス神父に宛てた書簡の一節である。この頃、日本銀の名声は、アジアからヨーロッパへ鳴り響いていた。マルコ・ポーロの『東方見聞録』で紹介されたジパング伝説と相まって、大航海時代のポルトガル人やスペイン人は東方の夢の国として憧れたのである。

ところが、一六世紀から一七世紀初め頃、ジパングすなわちJapan（日本）と並立するもう一つの国があった。一六一〇年に作成されたベルチウスのアジア図には、Bungo（豊後《ぶんご》）がJapanと並立する国として描かれているのである。

また、これより一五年前の一五九五年に作成されたルイス・ティセラの日本図は、日本を単体で描いた最初の地図として知られているが、この日本図においても九州を「BVNGO」とよび、日本「IAPONIA」と区別している。そして、豊後国「Bungo」にひときわ大きなマークをつけ、この国が中心地であると表記し、「Fumay」（府内《ふない》）の地名も記されている（図1）。このように、当時ヨーロッパの人びとは九州をBungoと考え、Japanと異なる国と認識していたのである。

もちろん、こうした地図の表記は間違いである。それでは、どうしてこのような誤った情報が伝えられたのであろうか。

日本の王侯中もっとも思慮あり、聡明英知の人

Bungo Funai——豊後府内。この町は鎌倉時代から戦国時代にかけて、豊後国の守護職であった大友《おおとも》氏の拠点的都市である。とくに一六世紀後半

図1 ● ルイス・ティセラの日本図
北海道は描かれていないが、今日からみてもかなり正確な日本図であり、ポルトガルとの緊密な関係がうかがえる。

は、戦国大名・大友宗麟《そうりん》（義鎮《よししげ》、図2）による南蛮貿易やキリシタンによる布教活動が活発におこなわれた、特異な中世都市として知られている。

宗麟は、享禄三年（一五三〇）、大友家第二〇代当主義鑑《よしあき》の長男として生まれた。織田信長より四歳年上である。天文一九年（一五五〇）二月、大友家最後の内紛である「二階崩れの乱」をおさめ、家督を継ぎ、義鎮と名乗る。義鑑から継いだ豊後・肥後《ひご》国のほか、その後、豊前《ぶぜん》・筑前《ちくぜん》・筑後《ちくご》三国の守護職が安堵《あんど》される。弘治二年（一五五六）に剃髪《ていはつ》して宗麟と名乗り、臼杵《うすき》の丹生島《にゅうじま》城に移るが、永禄年間（一五六〇年代）になると、中国地方の毛利元《もと》就《なり》は九州にその勢力を伸ばし大友氏と対峙する。しかし、元亀二年（一五七一）に元就が亡くなると、毛利氏は背後の織田信長戦に全精力を注ぐことになり、九州から完全に手を引き、大友氏の覇権が北部九州（六国）に確立する。そして、宗麟は豊後府内の都市改造に着手し、精力的に東シナ海から南シナ海の国々へと交易の拡大を進めた。天正元年（一五七三）、家督を息子義統《よしむね》（第二二代）に譲り、天正六年（一五七八）に政庁を臼杵からふたたび府内に移転する。ここに五〇〇〇戸ほどの家屋が立ち並ぶ九州最大の国際貿易都市Bungo Funaiが完成する。

図2 ● 戦国大名・大友宗麟
キリシタン大名としても知られている。洗礼名はドン・フランシスコ。大分駅北口駅前広場にある銅像。

そのなかで宗麟は、その力を一度も京都に向けなかった。むしろ、日本の枠を超え、物を商い広く交流し、アジア各地に雄飛し、進んでヨーロッパ人を迎えるとともに、どの戦国大名よりキリスト教を手厚く遇した。ルイス・フロイスは、宗麟について「日本の王侯中もっとも思慮あり、聡明英知の人」と語っている。こうしたBungoの王の国際社会に向けた活動が、あたかもアジアの独立国のように映り、ヨーロッパの人びとに伝えられたのであろう。

さて、この豊後府内が栄えた現在の大分県大分市では、一九九五年より大分駅周辺総合整備事業が本格化し、大規模な土木工事にともなう発掘調査（図3）によって、戦国時代の実態がかなりわかってきた。次章以降、この発掘の成果をもとに、特異な戦国都市・豊後府内の姿をみなさんと探訪していこう。

図3 ●豊後府内と別府湾
別府湾を望む大分川左岸に豊後府内の町はつくられた。大友氏は、この海からアジア各地に雄飛した。いま、その繁栄の姿がよみがえろうとしている。

第2章　町並みの発見

1　描かれた豊後府内

「府内古図」

京都・大阪から瀬戸内海航路をたどり西に進むと、九州の東の玄関にあたる別府湾に到着する。この湾に南から流れ込む大分川の河口付近の左岸に、かつて大分県の大部分が豊後国と名乗っていた頃の政治・経済の中心地、「府中」「府内」があった（図4）。

その町の様子を現在に伝える資料として「府内古図《ふないこず》」とよばれる古絵図が残されている。

府内古図はこれまで一〇枚ほど確認されており、そのうち所在のはっきりしている絵図は四枚である。その大半は写しで、それも最新のものは、幕末の頃に模写されたものを昭和の時代に入ってふたたび写した絵図であった。こうしたことから、信憑性についていまひとつ確証が得られず、府内の都市研究は進まなかった。

ところが、一九八七年に刊行された大分市史の編纂事業の過程で、新たな絵図が確認された。その府内古図（図5）は、描き方などから戦国時代の様子をもっとも反映したものと評価された。そして、さまざまな検討から、天正九年（一五八一）から一四年（一五八六）までの府内の様子を、江戸時代になった一六三五年以降に、記憶と情報をもとに描かれたものであることがわかってきた。

「戦国時代の府内復元想定図」

そこで、現存する社寺の位置や明治時代に集成された地籍図・地名などの分析をもとに、府内古図に描かれた町並みを現在の地図上に再現した「戦国時代の府内復元想定図」が

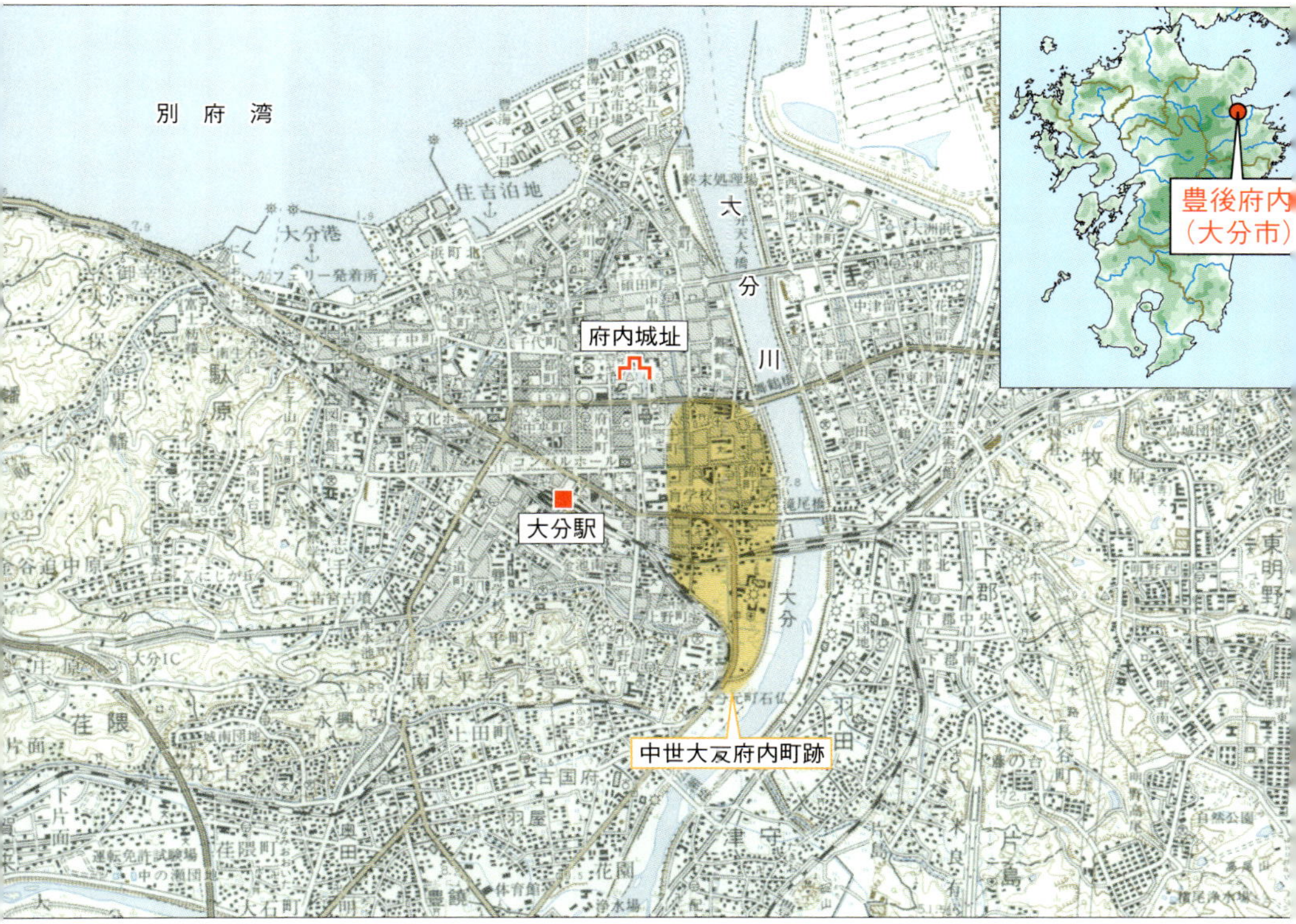

図4 ● 豊後府内の位置
大分川左岸の自然堤防上を中心に「府内」は形成された。
戦国時代の大分川の河口は西に大きく迂回していた。

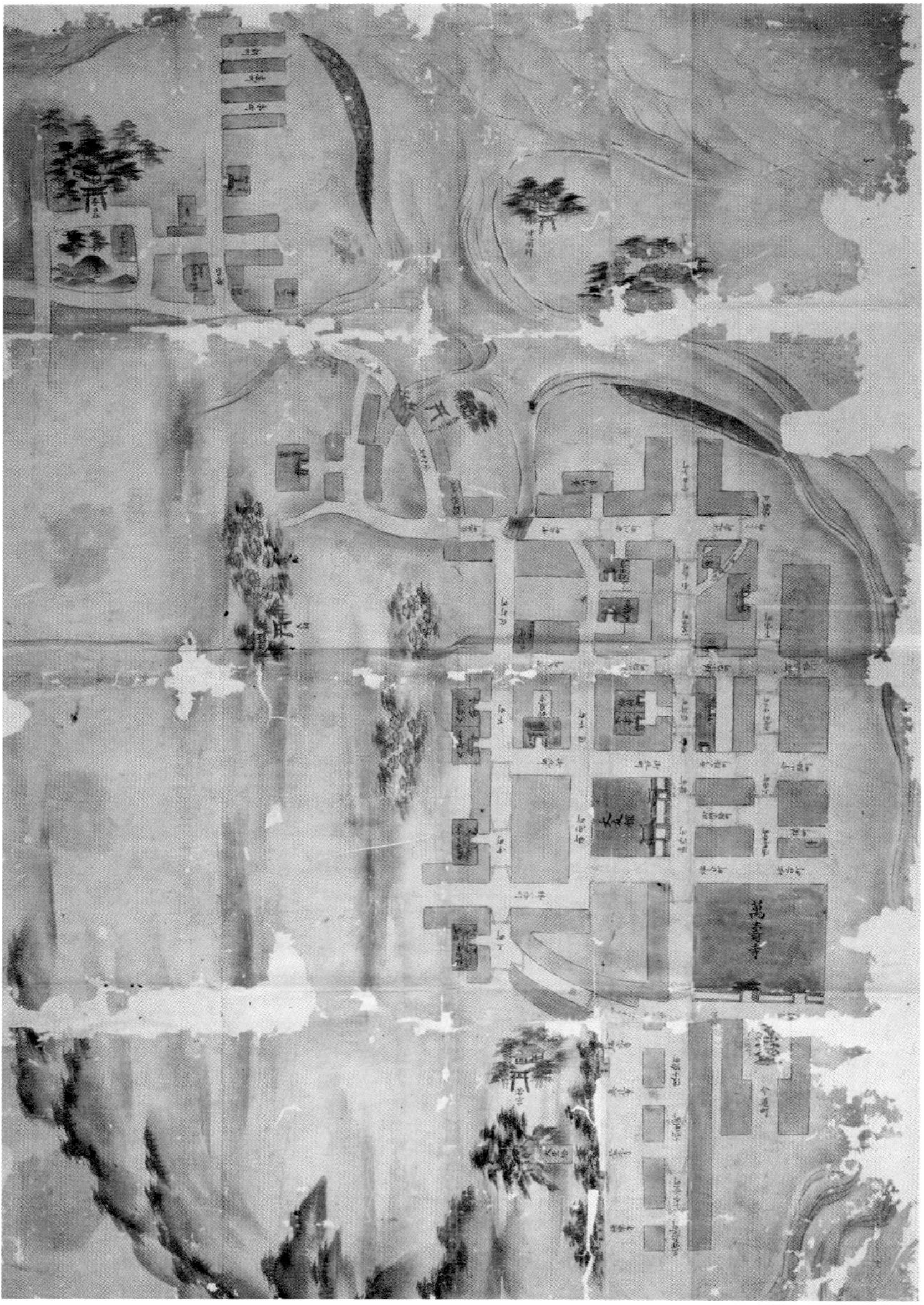

図 5 ● 府内古図のなかでも最古とされる地図
中央の赤く塗られた「大友館」を中心に、碁盤の目状に街路が通っている。
左上、大分川の河口近くの町並みは、南蛮貿易でも栄えた港「沖の浜」。

図６ ● 復元された豊後府内の街路と町
府内古図を現在の地図上に復元。小さい文字は現在の町名・諸施設。南北街路名は仮称。

つくられた（図６）。

歴史地理学の手法を駆使してできあがった想定図は、府内古図に描かれる大友氏の居館「大《おお》友館《ともやかた》」や倉庫群である「御蔵場《おくらば》」、菩提寺「万寿寺《まんじゅじ》」などの寺社、教会などのキリシタン関係施設、南北および東西の街路などの位置や範囲をほぼ特定でき、府内の規模・構造、さらには都市域の範囲を知る画期的な成果となったのである。

府内古図の町並み

府内古図に描かれる府内には、「大友館」を中心に、碁盤の目状に東西に五本、南北に四本の街路《がいろ》が通じ、三八カ所の町名と二〇カ所の寺社名が記載されている。しかし、街路名が記載されていないため、わたしたちは、南北の街路を東の大分川沿いから第1南北街路・第2南北街路・第3南北街路とし、もっとも西側の街路を第4南北街路と仮称している。さらに東西の街路については、たとえば「名ヶ小路町《みょうがこうじまち》」は「名ヶ小路」、「横小路町《よここうじまち》」は「横小路」とそれぞれの町名にちなみ、街路名としている（図6参照）。

こうして、府内古図の町名の分布をみると、ある程度、都市の構造がみえてくる。すなわち、大分川沿いの第1南北街路沿いには、上市町《かみいちまち》・工座町《たくみざまち》・下市町《しもいちまち》などの町名があり、この場所は商工業者が居住し活動した場所と想定できる。

そして、この大分川沿いには第1南北街路を遮断するように、府内最大の寺院である「万寿寺」があり、その南には寺小路町《てらこうじまち》がある。また、大友館の東北側の第2南北街路沿いには唐人町《とうじんまち》があり、中国大陸や朝鮮半島出身の人びとが居住していたと考えられる。さらに第4南北街路沿いにある中町の裏には「ダイウス堂」と記載された場所があり、その名称は「デウス」に通じ、キリシタン関係の施設が建ち並んでいたことが推測される。

また、第４南北街路沿いの上町《かみまち》・中町《なかまち》・下町《しもまち》・林小路町《はやしこうじまち》、大友館前の御所小路町《ごしょこうじまち》や御内町《おうちまち》などは、大友氏の家臣団が居住していた武家地と考えられている。

このように、大分川沿いに南北に細長い豊後府内は、大友館を中心に、大まかに東寄りの位置に商工業者の居住活動域が、西寄りの位置に武家地が配置され、隣接して万寿寺と関連する町屋があるという構造であった、と府内古図から読みとることができる。

2　姿をあらわした町並み

豊後府内の発掘

先に述べたように、一九九五年より、かねてから大分市の重要案件であった、大分駅周辺の総合整備事業が本格化した。その場所は府内古図で復元された一六世紀後半の府内の中枢部にあたることが想定された。そのためこの工事計画は、現在の地図上に復元された南北二・二キロ、東西〇・七キロの豊後府内の町に、あたかも発掘調査の巨大トレンチを入れたかたちとなった（図７）。

発掘調査は一九九六年に、大分市教育委員会の調査から始まった。場所は、府内古図では「横小路町」にあたる場所。発掘の結果、想定どおりの場所に横小路町の街路がみつかった。かつての街路の幅は約一〇メートルで、地表面を掘り下げ、土砂を突き固めて整備してあった。

さらに、この調査区の一部からは、中国大陸・朝鮮半島・東南アジア産の陶磁器が集中的に出土し、府内の南蛮貿易の一端を垣間見ることができた。

この発掘調査で、中世の豊後府内の町がいまもなお、良好な状態で地下に残されていること、南蛮貿易をはじめとする当時の人びとの活動や生活の様子を、出土遺物によ り具体的に知ることができることがわかった。すなわち、これまでの大友家に関連する古文書やキリスト教宣教師たちの書簡などの文献資料や古絵図では知ることのできなかった、町屋の構造や変遷、人びとの暮らしの様子が、具体的なかたちで、わたしたちの眼前に示されたのである。以後、発掘調査が毎年おこなわれるようになり、現在も続いている。

図7 ● 豊後府内の発掘調査状況
豊後府内の主要施設と発掘された主要遺構。

都市構造の骨格・街路

都市構造の骨格であり、都市の形態を決定するのは「街路」である。発掘調査では、多くの街路がみつかり、街路の構造がわかってきている。

もっとも東側を南北に走る第1南北街路は、幅が約六メートルで、両側に浅い側溝をもつ構造だった。道路面は土砂を一層ごとに突き固めて積み上げられている。一五世紀末から一六世紀末にかけて、東西にわずかに位置を変えながら整備されつづけ、最終的に確認できる街路面は一四面であった。その厚さは約八〇センチで、同時に街路に沿った町屋もかさ上げされている。

大友館の東側、万寿寺の西側を通り府内を南北に貫いていたメインの街路、第2南北街路は、唐人町・桜町《さくらまち》・御内町・万寿寺の部分が発掘された。桜町が面するところでは、幅が約一一メートル、道路面は浅く皿状に掘りくぼめられ、その上に、第1南北街路と同様に突き固めた痕跡が約五〇センチの厚さでみつかった（図8）。南側の御内町や万寿寺のところでも同様だった。

図8 ● 第2南北街路の断面
豊後府内の主要街路は、砂と土を交互に重ねて構築されていた。
上方の赤い焼土は、天正14年（1586）の島津氏侵攻による。

このほか横小路町の街路や第４南北街路に通じているノコギリ町の街路でも同様の街路が整備されていることがわかり、府内のほぼ全体にわたって、突き固められた街路が整備されていたと想定できるのである。

さらに、こうした主要な街路の下からは、一五世紀代の同じ方向の区画性の強い溝がみつかっていているので、府内の町の基本的な都市デザインはその頃までさかのぼることを示している。

町を画する木戸

府内古図には、街路上には「木戸」が描かれている（図９）。木戸は多くの場合、交差する街路部分の四カ所に描かれており、街路に「桜町」「御所小路町」と記されているように、各町屋が街路を中心としていることがわかる。

現在の都市では道路を境にして町域を分けている場合が多いが、この場合は街路を中心に両側が同じ町内になる。これを両側町《りょうがわまち》という。ちなみに江戸時代の江戸、日本橋界隈《かいわい》なども両側町であった。

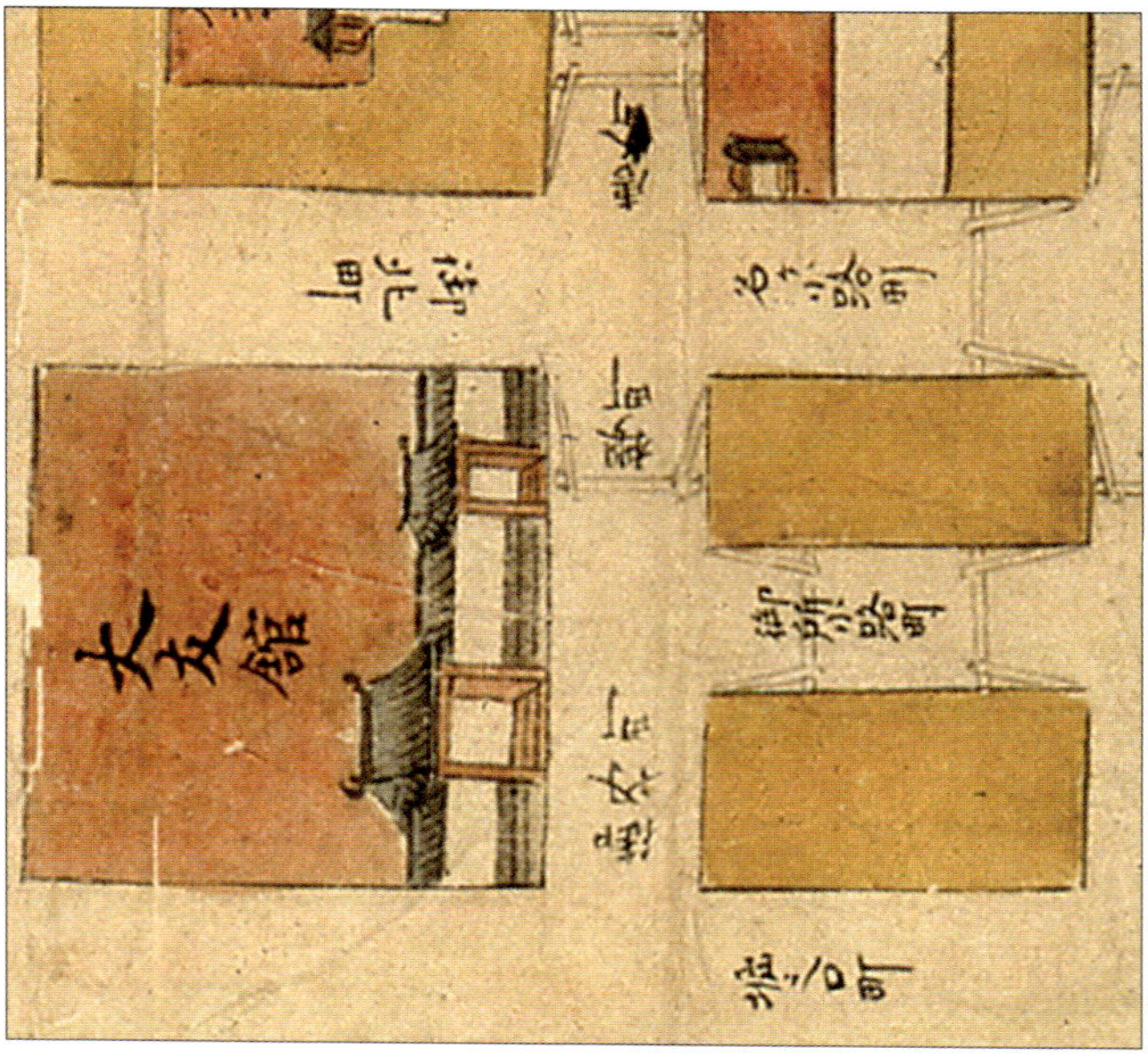

図９ ● 府内古図に描かれた木戸と桜町
桜町・御所小路町・唐人町など、街路が交差する箇所に木戸が描かれている（図５を拡大）。

さて、木戸の形は二本の掘立柱《ほったてばしら》を一本の横木でつないだ鳥居のような形態で、大友館より東側の商工業者の居住区と推定される町屋域を中心に三六カ所が確認できる。

木戸のなかで発掘調査されているのは、桜町の北側の木戸である。路面上に六カ所の柱穴がみつかった。その状況を分析した結果、二本の掘立柱の間隔は四〜三・二メートルで、少なくとも三度建て替えられている。また、東側には木戸に関連する施設と考えられる土坑《どこう》が掘り込まれている。このほか唐人町の南側では、礎石《そせき》による木戸も確認されている。

町屋の景観

つぎに町屋をみていこう。豊後府内の発掘調査で、もっとも町屋の状況が解明されたのが大友館の東側の街区である（図６・７参照）。

この街区は東を第１南北街路、西を第２南北街路、北を名ヶ小路、南を御所小路で囲まれている範囲で、東西がおよそ一三〇メートル弱、南北が約一八〇メートルと約一六五メートルの台形状をしていて、面積は約二万一七三〇平方メートルを占める（図10）。この街区の町並みをくわしくみていくことにしよう。

上市町　第１南北街路沿いには、街路をはさんで上市町がある。この町には、古文書から、商取引にかかわる人物が居住していたことが知られている。

発掘調査の結果、大分川に沿った南北に緩やかな斜面に、街路に面して約三〜四メートルの幅で小さな段差や、柱穴列《はしらあなれつ》で短冊状に区切る町屋の区割りがみつかった。奥行きは、街路から約三〇メートル入ったところで地籍図の境が確認できることから、街路の中央部から一〇〇尺を単位としている可能性が強い。裏手には、ゴミ処理の穴と考えられる廃棄土坑や井戸がみつかっており、便所なども設置されていたと想定される。

桜町　上市町と背中合わせの、「大友館」前の第2南北街路ぞいの桜町も、上市町と同様に、街路に面して幅三～六メートルごとに柱穴列があり、二〇以上の区画になっている。一部に礎石が残されていることから、礎石建物や「洛中洛外屏風図」に描かれる横木を基礎とした建物などが想定できる（図11）。

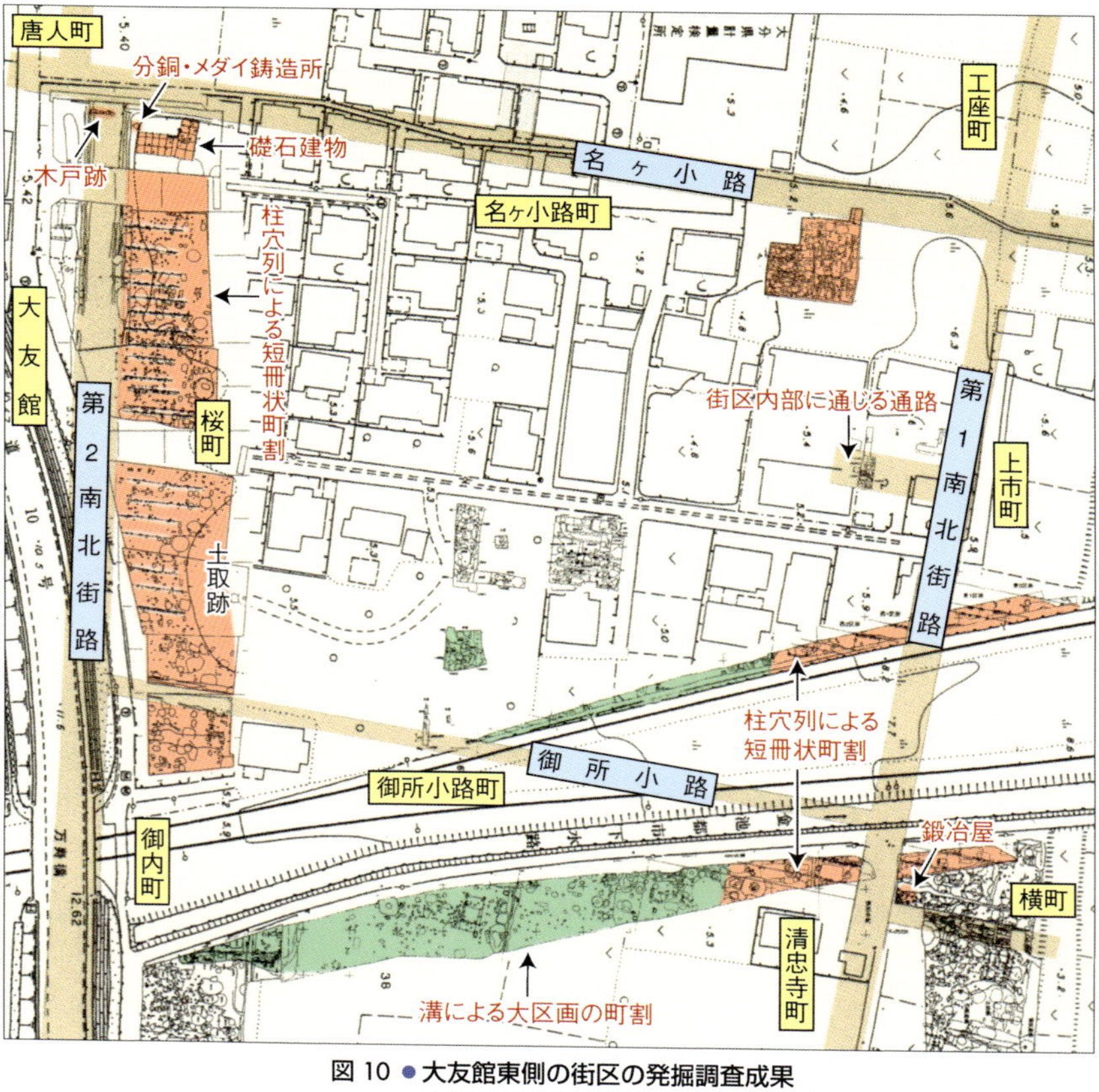

図 10 ● **大友館東側の街区の発掘調査成果**
大友館の東側街区は、商工業地と武家地が混在し、街路から奥行き約 30m が宅地で、内部は空間地（畑地）である。

　また裏手からは、上市町と同様で、井戸や塵芥《じんかい》を埋め立てた廃棄土坑などがみつかった。このような施設を含め、町屋の奥行きは約三〇メートルと想定される。

商家の屋敷

　そうしたなかで、桜町の北端の角地で、梁《はり》行《ゆき》二間、桁行《けたゆき》五間（一間は六尺五寸＝約一九五センチ）という大きな建物二棟をL字状に配した礎石建物がみつかった（図12）。この建物と街路の交差点との間の中庭的な場所からは緑青と炭化物を含む土壌のまとまりがみつかっており、青銅製品を製作した痕跡と考えられる。

　この周辺からは、後章で紹介するが、その製品と考えられる分銅《ふんどう》やキリシタンの信仰具であるメダイが出土している。しかも、分銅には未製品も含まれ、表面には大友家の定紋《じょうもん》

図 11 ● **洛中洛外図屏風に描かれた京都の町屋**
街路に面した町屋は平入りで、屋根は板葺きで石が並べられ、柱は角材が使用されている。豊後府内の町屋もこうした姿であったと想定できる。

である「三」の文様が陽刻《ようこく》されている。このほか黒楽茶碗《くろらくちゃわん》、朝鮮王朝産の茶道具、中国製の貿易陶磁器の優品などが出土している。

こうしたことから、大友館の前に位置したこの建物は、大友家と深くかかわり、商取引の度量衡を管理する、府内でも特別な立場の屋敷と考えられる。

武家屋敷

いまみている街区の南側は御所小路町にあたる。第1南北街路から西にのび、大友館の正門付近に達する東西街路沿いの町である。ここでも間口約四メートル前後の短冊形の町割がみつかっているが、間口《まぐち》約二五メートル、四五メートルという二つの大区画を区切る溝もみつかっている(図11参照)。この区割りは、規模の大きさや方法において、上市町・桜町とは異なることは明瞭であり、大友館の正門前に通じる街路であるという立地から、武家地と推定することができる。

以上、街路沿いに間口をもつ、上市町・桜町・御所小路

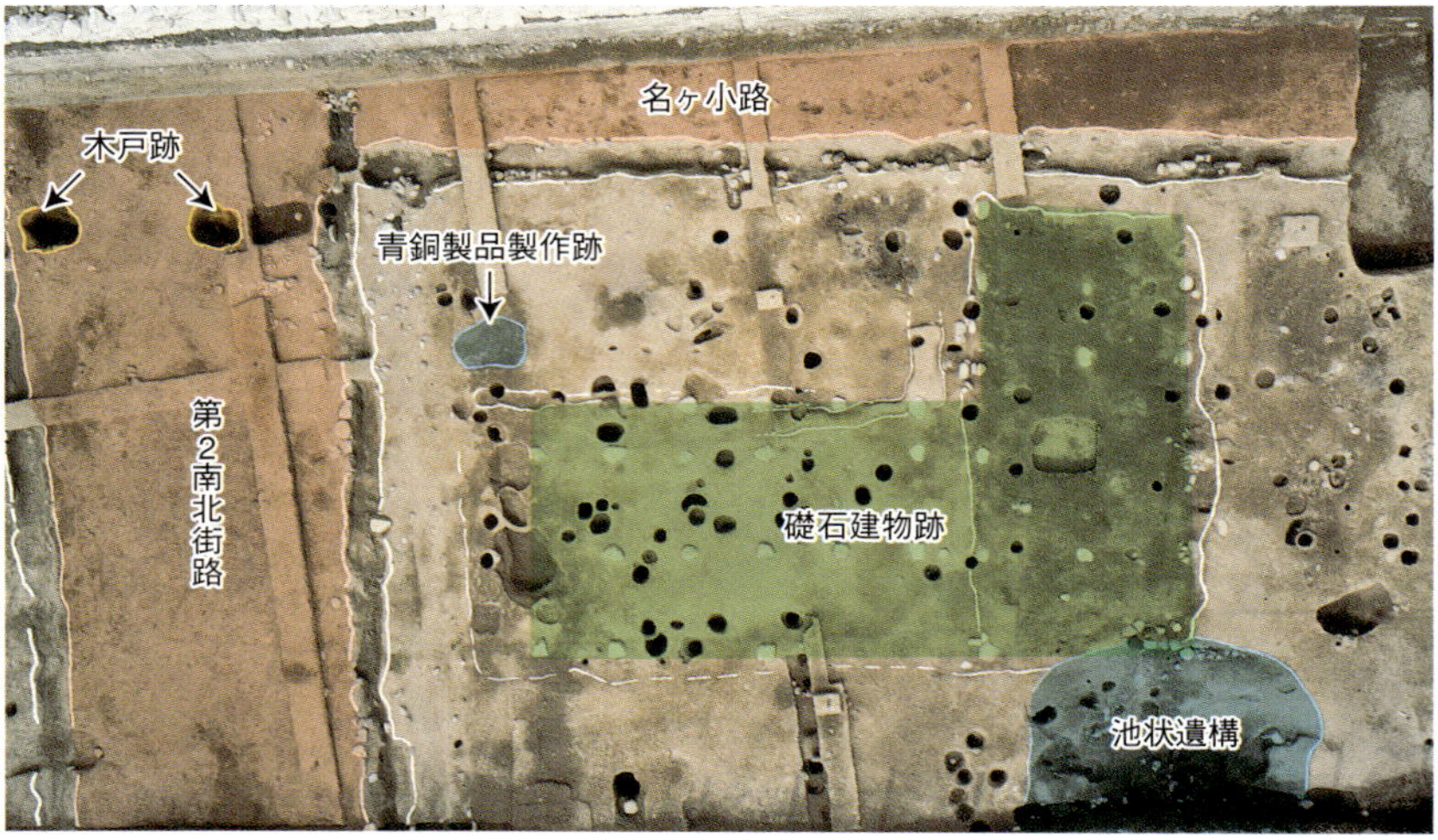

図12 ●桜町の角の礎石建物
梁行2間、桁行5間の礎石建物2棟をL字状に組み合わせた建物で、街路に面した中庭で、青銅製品をつくっていた。街路には木戸の痕跡が残る。

町の町屋の奥行きは、発掘調査の結果、約三〇メートル前後が想定される。それぞれの街路の長さは一〇〇メートル以上あるので、それを町屋の奥行きと考えると、井戸や廃棄土坑を含む町屋の後背地は、畠地などに利用される可能性のある広大な空地が広がると想定できそうる。そこは発掘調査でも遺構が希薄な場所である。

ゴミ穴から堀、そして屋敷へ

ところで、万寿寺の西側には、いままでみてきた町並みとは異なる変わった遺構がみつかっている。万寿寺は、北側と西側を幅約八メートル、深さ約二・五メートルの堀が囲んでおり、その外側は第2南北街路が通じていた。

ところが一六世紀後葉、この街路の中央部分にゴミを廃棄するための土坑が連続して掘られるのである（図13）。その後、万寿寺の堀は、ゴミ穴の部分を削りとって西側に拡張された。しかし、それから間もなく、堀は埋め立てられる。

さらに、この埋め立てのあとには町屋が建設され、礎石

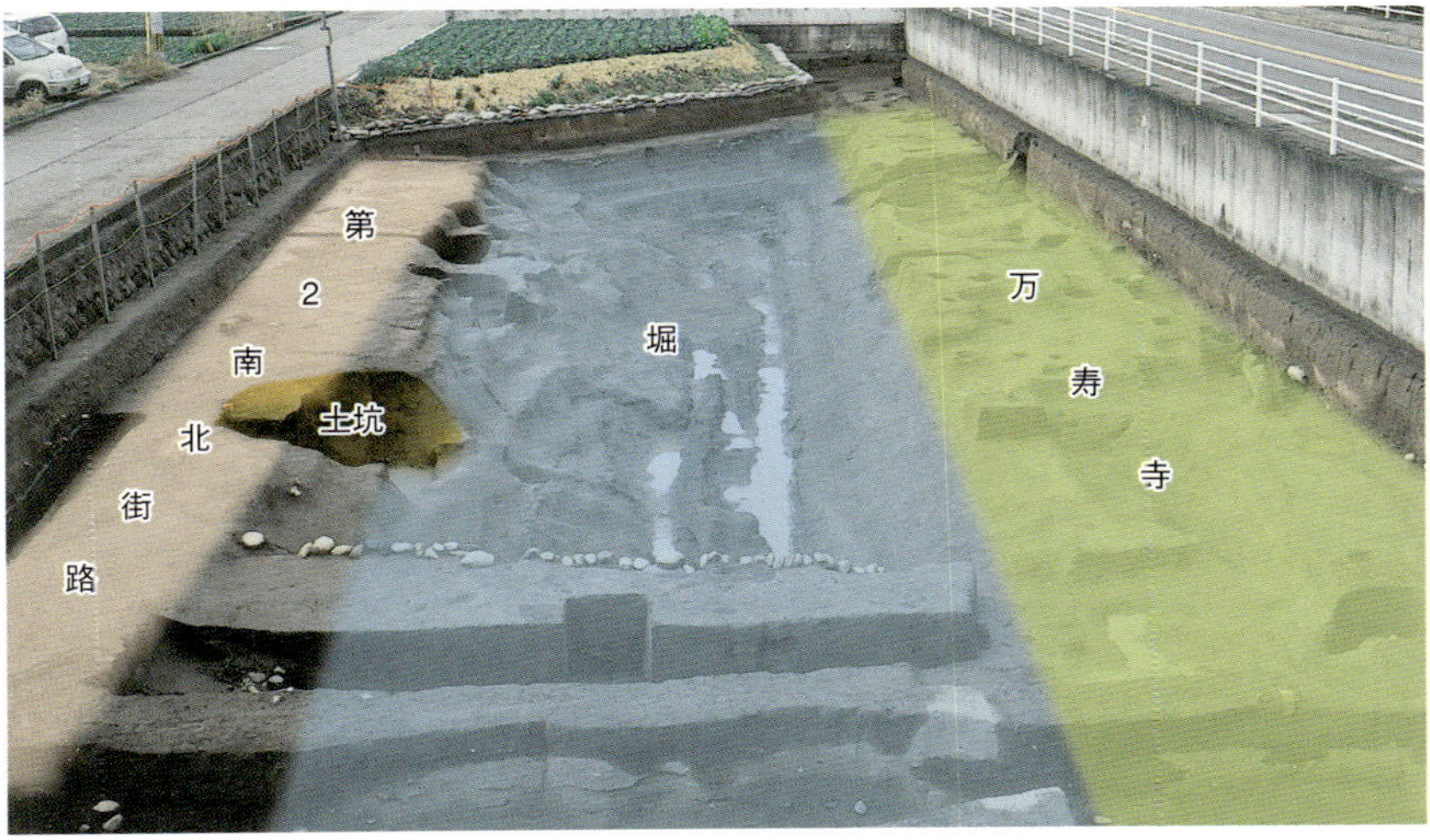

図13 ● 万寿寺の西境の堀と街路の土坑
万寿寺の西側と北側で確認された堀。左手、第2南北街路に掘り込まれた廃棄土坑を堀が削っている。

建物が建ち並んだのである。礎石建物群は調査した八〇メートルの間に、北から、一五メートル・五メートル・一〇メートルの間隔で四棟が確認された。それらは、梁行《はりゆき》二間で、桁行《けたゆき》が二～四間あるという立派なものである。

そのなかの一棟は、街路からの幅約一メートルの入口施設をもち、街路からの導入部に小石を敷詰め整備している。これらの建物群は天正一四年（一五八四）の島津氏侵攻時に焼失したものと考えられるが、入口施設のある建物はその後も再建されており（梁行三間、桁行不明）、街路からの導入部に拳大《こぶしだい》の礫を敷詰め、導入部と入口部をかさ上げした状態で再整備している

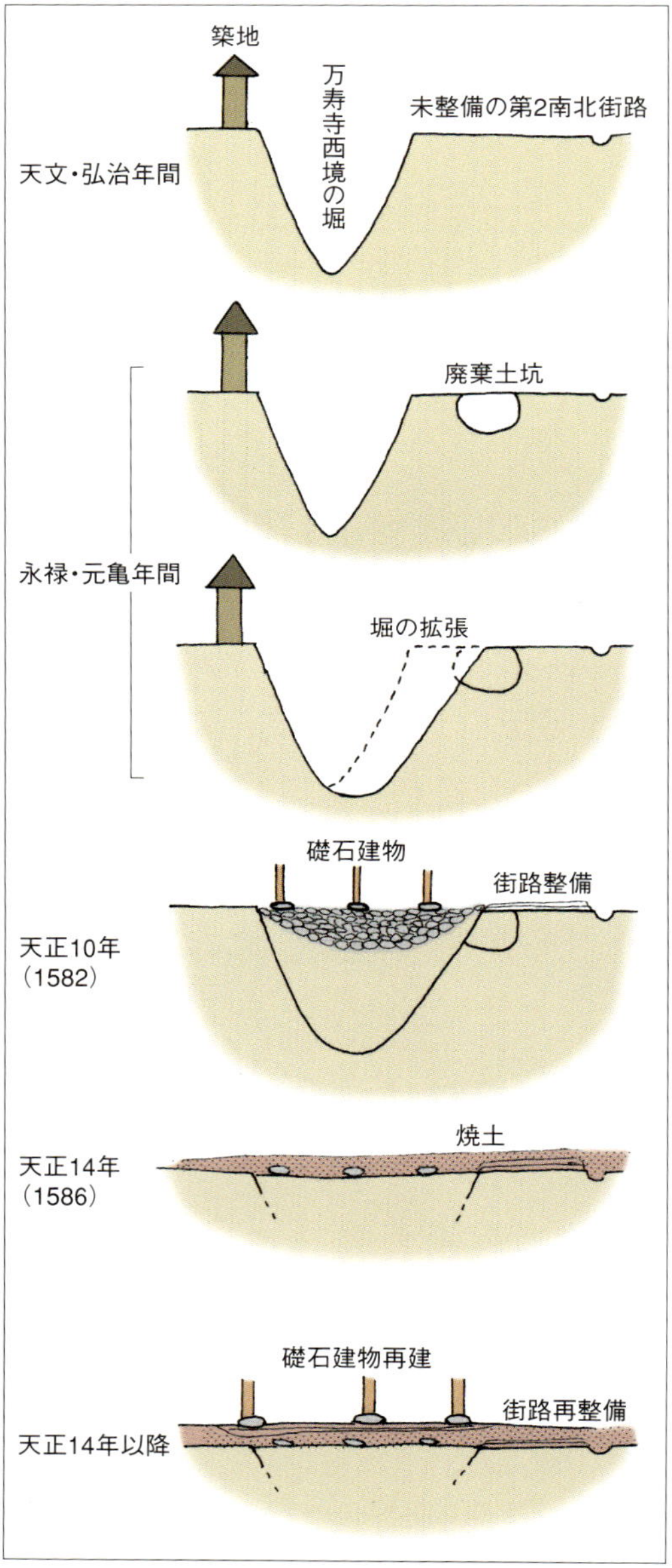

図 14 ● 万寿寺西側の変遷
発掘調査では、土色や土砂の堆積の観察によって遺構がつくられた過程を知ることができる。

（図14）。

この万寿寺の西側の建物群については、宗麟《そうりん》の家督を継いだ義統《よしむね》が、天正一〇年（一五八二）に府内の町奉行的な役割を果たしていたキリシタンの家臣である柴田礼能《しばたれいのう》（名はリイノに由来するとされている）に対し、差し出すように命じた古文書が残されている。発掘調査された礎石建物群は、府内の町奉行的な立場にある柴田礼能が、万寿寺の堀を埋め立てて建設したと考えることができる。

こうした出来事の背景には、宗麟が弘治二年（一五五六）頃に政庁を臼杵へ移したことにあると考えられる。このため府内は領主不在の都市となり、秩序が乱れ、街路にゴミ穴が掘られたりしたのであろう。そして、万寿寺がゴミ穴の部分を削りとって堀を広げたのは自衛が急務となった状況と理解できる。

しかし、一五七〇年代には街路整備をはじめとする府内再整備が始まり、天正六年（一五八〇）に家督をついだ義統が府内に住むようになると、天正一〇年（一五八四）には万寿寺とは立場の異なるキリシタンの家臣である柴田礼能にかかわる礎石建物群が出現したのである。

3　都市の中心「大友館」を掘る

庭園みつかる

「大友館の大庭園」「中世のロマンに浸たる──約五〇〇人の歴史ファンが詰めかけた現地説

明会」などの見出しが新聞紙上を飾ったのは、一九九九年のことであった。この庭園跡の発見によって、豊後府内の中心「大友館」の遺構がはじめて確認された。

庭園は館の東南部につくられていた。中心部は東西約六〇メートル、南北約一六メートル以上におよぶ長楕円形に掘り込まれており、景石《けいせき》を配した池と考えられる（図15）。

池の南側の形状は不明だが中島があったのだろう。園地の東側はなだらかに高く、瀧石組《たきいしぐ》みの可能性がある。また、白い玉砂利やマツカサが出土し、植栽痕もみつかっていることから、池の岸辺は玉砂利で飾られ、松などが植えられていた景観が想像できる。

池は三回改修されていて、一五世紀末から一六世紀末にあたる。それは、大友氏の全盛期を築いた宗麟（義鎮《よししげ》）を間にして、その父・義鑑《よしあき》と子・義統の三代の時代である。

図15 ● 姿をあらわした庭園の池跡
池のまわりに並べられた景石には凝灰岩と安山岩の巨石が使われている。安山岩は支流の由布川渓谷から運ばれたと史料は伝える。

京文化の摂取

大友館の庭園はどんなに見事なものだったろうか。それは室町将軍邸や細川管領《かんれい》邸の庭園をモデルとした系列に連なる庭園と考えられる。

当時、各地の戦国大名は、京文化の摂取に努めていた。京都の公家衆や画家などの文化人との交流によって、その情報を逐一伝えられていた。

庭園文化もその例外ではなく、近年福井県の一乗谷《いちじょうだに》朝倉氏館跡、岐阜県の江馬《えま》氏館跡、東氏《とうし》館跡、山口県の大内館跡、広島県の吉川《きっかわ》館跡・万徳院《まんとくいん》跡などで戦国時代の庭園遺構がみつかっている。一乗谷朝倉氏館跡では庭園が復元されているので参考になるだろう。

しかし、大内館の庭園遺構の池は南北最大長三九メートル、東西最大長二〇メートル、万徳院跡では三〇メートル、一八メートルで、いまのところ大友館の池は西日本最大である。

大友氏は、事あるごとに将軍家への献上をおこなうなど中央との連絡を密にしていた。宗麟の祖父・義長《よしなが》（第一九代）の時代につくられた分国法「大友義長条々」によると、代々、京の飛鳥井《あすかい》家《け》から蹴鞠《けまり》の教えを受けているほか諸芸一般に通じていたという。父・義鑑時代には能楽もおこなわれ、宗麟も将軍の周旋によって京都から観世太夫《かんぜだゆう》を招いた。

大友館の変遷・第１段階（一五世紀前半から一五世紀中頃）

その後、「大友館」跡の発掘調査が重ねられ（図16）、文献史料ともつきあわせて、大友館がおおよそつぎの四段階で変遷したことがわかってきている（図17）。

大友館が姿をあらわしはじめるのは一五世紀前半から中頃である。推定「主殿《しゅでん》」跡の大規模な掘り込み地《ち》業《ぎょう》による盛土整地がおこなわれ、柱穴の底に平石を据えた掘立柱建物跡（配置や構造は不明）や土師器《はじき》の廃棄土坑が形成される。また、やや東南側に建物が展開し、さらに約四〇メートル東に門と考えられる建物もある。

この段階の大友館（守護館）について、康正元年（一四五五）、相国寺の禅僧・端渓周鳳《たんけいしゅうほう》の日記『臥雲《がうん》日件録《にっけんろく》』に、「大友宅（館）は、茅《かや》や茨《いばら》で屋根を葺き、竹を床に敷いたきわめて質素なもの」と記されている。年代から第一五代親繁《ちかしげ》の頃であり、建物群の配置や構造はまだよく

図 16 ● **大友館跡主殿部分の調査の様子**
この部分は地籍図によると方形の地割りが残っており、周辺部より一段高くなっている。この方形の高まり部分から大型の建物跡（主殿）がみつかった。

わからないが、これが親繁の館であるならば決して質素なものとは思えない。

大友館の変遷・第2段階（一五世紀後半から一六世紀中頃）

この時期は、分国統治の末端機構である「政所《まどころ》」や地域政治の責任者「方分《ほうぶん》」（方面別政治責任者）がおかれ、分国法である「大友義長条々」の制定など新しい政治体制が確立していく、第一六代政親《まさちか》から第二〇代義鑑

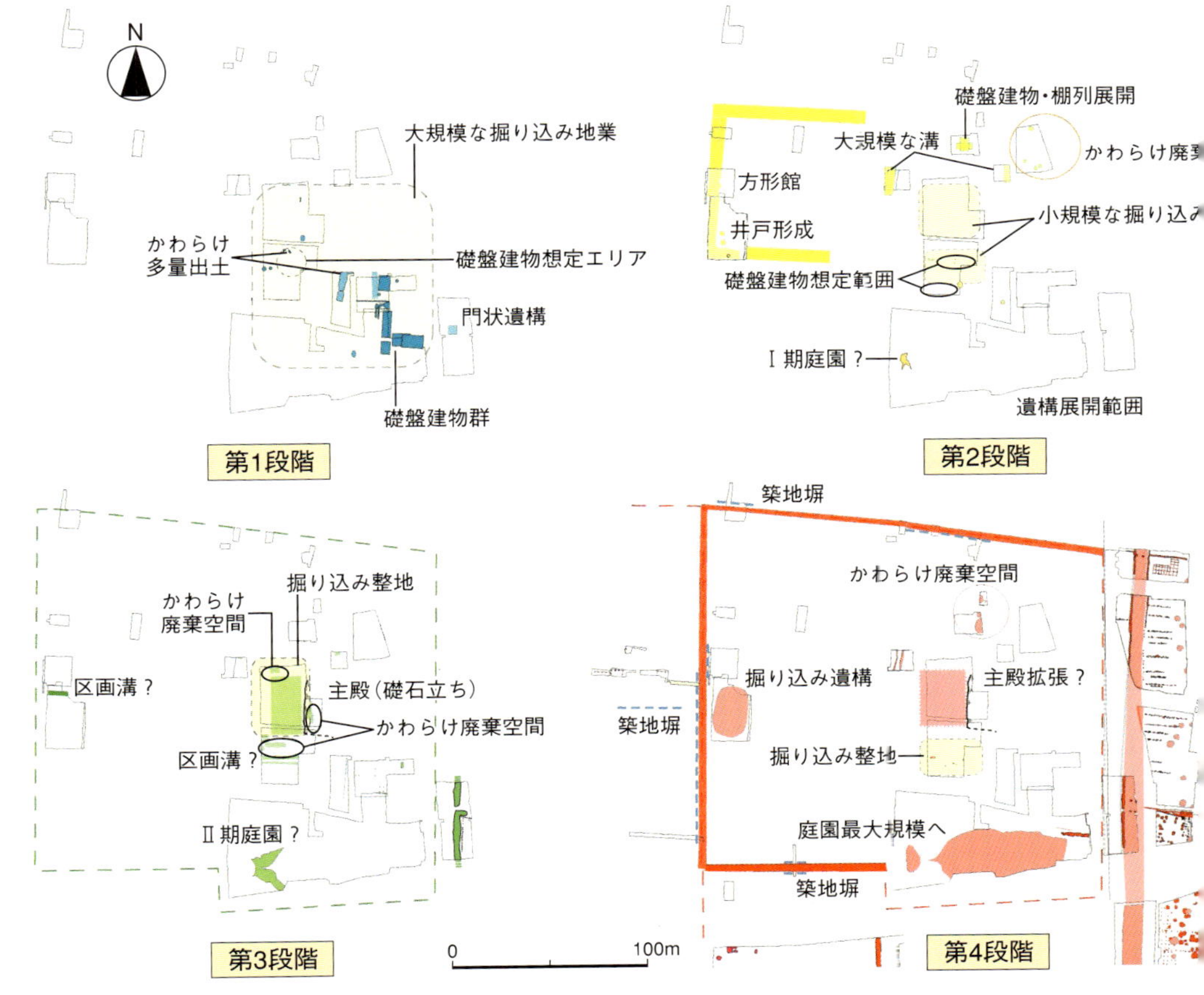

図 17 ● **大友館跡主殿部分の変遷**（第１段階から第４段階）
第３段階から礎石をもつ大型の建物が出現し、
建物構造が大きく変わる。

の時代にあたる。

政親や義長の代には、家臣の城下集住策を進めたことを示す史料、第二〇代義鑑の一五四〇年代後半には行政施設である役所や警備施設の「遠侍《とうざむらい》」、さらには「台所《だいどころ》」「女中屋《じょちゅうや》」「乾《いぬい》の屋敷」などの建設にかかわる史料が散見できる。

主殿部では柱穴の底に平石を据えた掘立柱建物が建設されるとともに、南側にはじめて庭園（第Ⅰ期庭園）がつくられる。また、主殿北方地区には掘立柱建物や柵列が展開し、西方地区にも堀と土塁で囲まれた方一町ほどの方形館も形成される。この方形館の性格については今後の課題であるが、大友館に付属しないとすれば、義鑑の館は南北に展開する長方形区画となる可能性もあり、館とともに周辺には堀と土塁をもつ方形館が凝集する景観が想定される。

一方、この段階では、上野台地に「上原館《うえのはるやかた》」が成立する（図6・7参照）。この時期の山上や台地への展開は、当時の大名や有力国人層によくみられることであり、公的な「表」の場としての大友館と日常の生活空間である上原館との使い分けが始まったと考えられる。

大友館の変遷・第3段階（一六世紀後半頃）

この時期は、義鎮が北部九州六カ国の守護職を手に入れ、九州探題《たんだい》にも命じられるなど九州随一の戦国大名となる時代である。この段階になると館の状況も一変する。

まず主殿は、掘立柱建物から礎石建物へと変わる。新たに大規模な掘り込み整地をおこない、東西約一五メートル、南北約三〇メートル規模の建物がつくられる（図18）。建物の南側には並行する東西溝（主殿域の区画施設か）も掘削され、庭園の改作（第Ⅱ期庭園）もおこなわれる。また屋敷が西側へ拡大し、堀と土塁ではなく土塀（初源となる）で囲まれた方形区画の館へと変化した状況が想定される。

義鎮が家督を継いだ翌年にポルトガル船が入港し、同年八月には周防山口にいたフランシスコ・ザビエルを府内に招き、キリスト教の布教を許可する。これを契機に宣教師による本格的な布教活動が開始され、義鎮はイエズス会に地所・会堂を寄進し、府内に住院・育児院・病院・教会などが建設されるが、弘治二年（一五五六）に重臣小原鑑元《あきもと》による「府内の乱」が起り、義鎮は臼杵に避難する。以後天正六年（一五七八）まで政庁機能が一時臼杵に移った。

大友館の変遷・第４段階（一六世紀末頃）

義鎮は臼杵丹生島城に入り、剃髪して宗麟と名乗るようになる。天正元年（一五七三）には家督を嫡子義

図18 ● 第３・４段階の大型建物跡
柱を据える礎石はなくなっているが、礎石を安定させるために下に敷かれた小石群が並んでおり、建物の大きさや構造が復元できる。

統に譲り、政庁機能がふたたび府内に移る時代である。

義統に家督を譲った天正元年に、大友館の外周施設である「土《ど》囲廻《いまわり》塀《べい》」の普請を諸郷庄《ごうしょう》の武士たちに対して命じている。義統は当時一五歳であり、実際の政務は宗麟の後見のもとにおこなわれたと思われ、宗麟の威信を示す、いままでにない大規模な大友館の再建が新国主のために進められたと考えられる。主殿域の規模拡大をはかり、先にみた庭園（第Ⅲ期庭園）がつくられた。

館の外周には一・五〜二メートルの溝が幅約四メートルで平行してまわるのがみつかった（図19下）。二

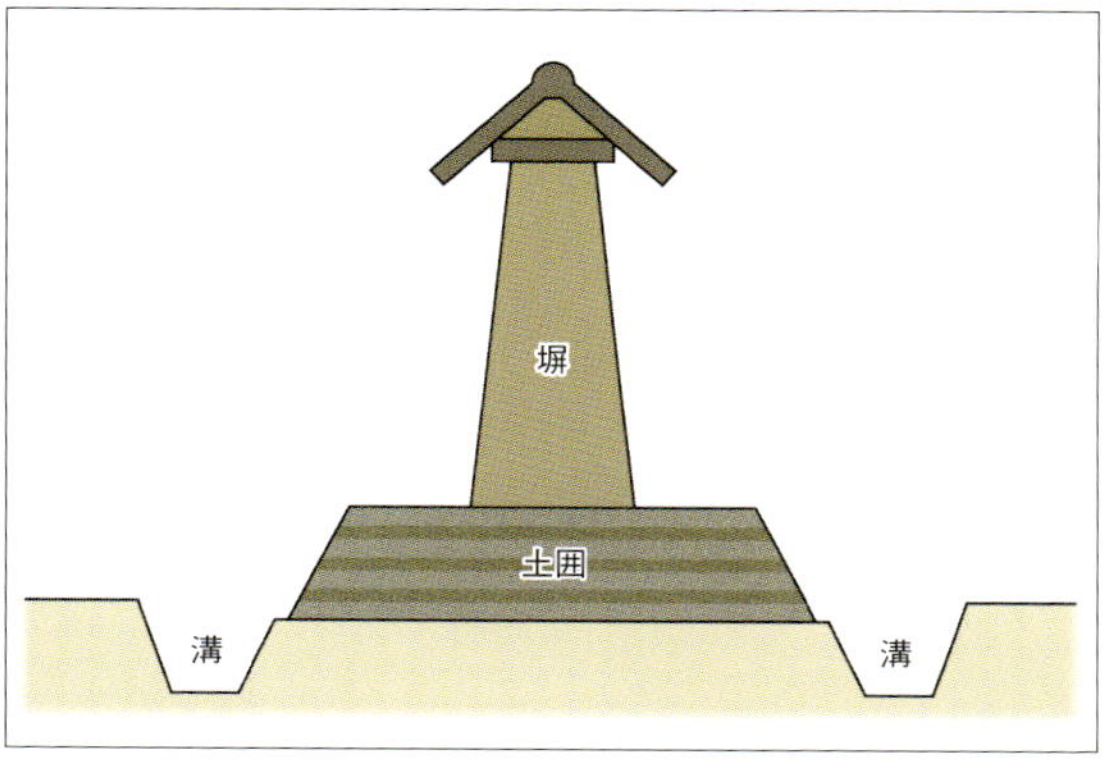

図 19 ● 土囲廻塀の遺構と復元イメージ
3 回のつくりかえがあり、溝は複雑に重なり合っているが、上図のように復元される。塀のつくりかえによって館の範囲が広くなっていったことがわかる。

本の溝にはさまれた空間は粘質土と砂質土を交互に積み上げ固められている。溝のなかからは焼けた土壁片が多数発見された。一辺約二〇〇メートル四方の館をかこんだ土壁づくりの「土囲廻塀」である（図19上）。

こうして壮大な大友館ができあがった。元亀二年（一五七一）五月、宗固《そうこ》なる人物が中江周琳《しゅうりん》に宛てた書状によると、同年公卿の久我晴通《くがはるみち》が大徳寺怡雲宗悦《いうんそうえつ》、薬師の吉田牧庵《もくあん》、絵師の狩野永徳《えいとく》、金工の後藤徳乗《とくじょう》といった「めいじん」（名人）らを同行して豊後へ下向しており、建設途中にあった館の襖絵《ふすまえ》や飾り金具などの製作にかかわった可能性がある。

大友館の内部

さて、大友館の内部はどのようになっていたのだろうか。義統がのちに幽閉中の常陸《ひたち》国水戸で書き記した「當家年中作法日記」には、大友館でおこなわれた儀式や館に勤務する人びとの様子が記されている。

一月二九日には「大おもて節」という祝いが催され

図20 ● 儀式などで捨てられたかわらけ
京都で使われているかわらけをモデルにしてつくられており、館のなかで京都と同じ祭事や儀礼がおこなわれていたことを物語る。

た。「大おもて」という場所に多くの武士が列席し儀式と会食をおこなうのである。一番から三番まで三つの座が設けられ、五〇〇人分の膳が用意されている。一番座では、主だった武士二〇〇人ほどが一同に座敷に会して、式三献《しきさんこん》（酒盃を三回まわす）などの儀式をとりおこなっている（図20）。また、二番座では一番座を除く武士に対して、「遠侍」を会場とした三番座では「間々《まま》の番衆」や与力《よりき》といった館に勤務する武士に対して同様に座が設けられている。

このように「大おもて」は一度に二〇〇人以上を収容できる大きな「座敷」で、近くや内部に同規模の人員を収容できる施設があったことになる。加えて、「大おもて」には、「縁」があり、「庭」や「坪」と接し、さほど遠くない距離に、能や猿楽《さるがく》などが演じる楽屋を備えた舞台があったようである。

一月七日の祝日には、由原《ゆすはら》（宮）の宮師が塗輿《ぬりこし》で「大門《だいもん》」の前まで来て参賀がおこなわれた。同日夜には白馬がこの門から入っており、一月一四日にも由原から花が献上され、儀式がおこなわれ、この門から献上の花が届けられている。

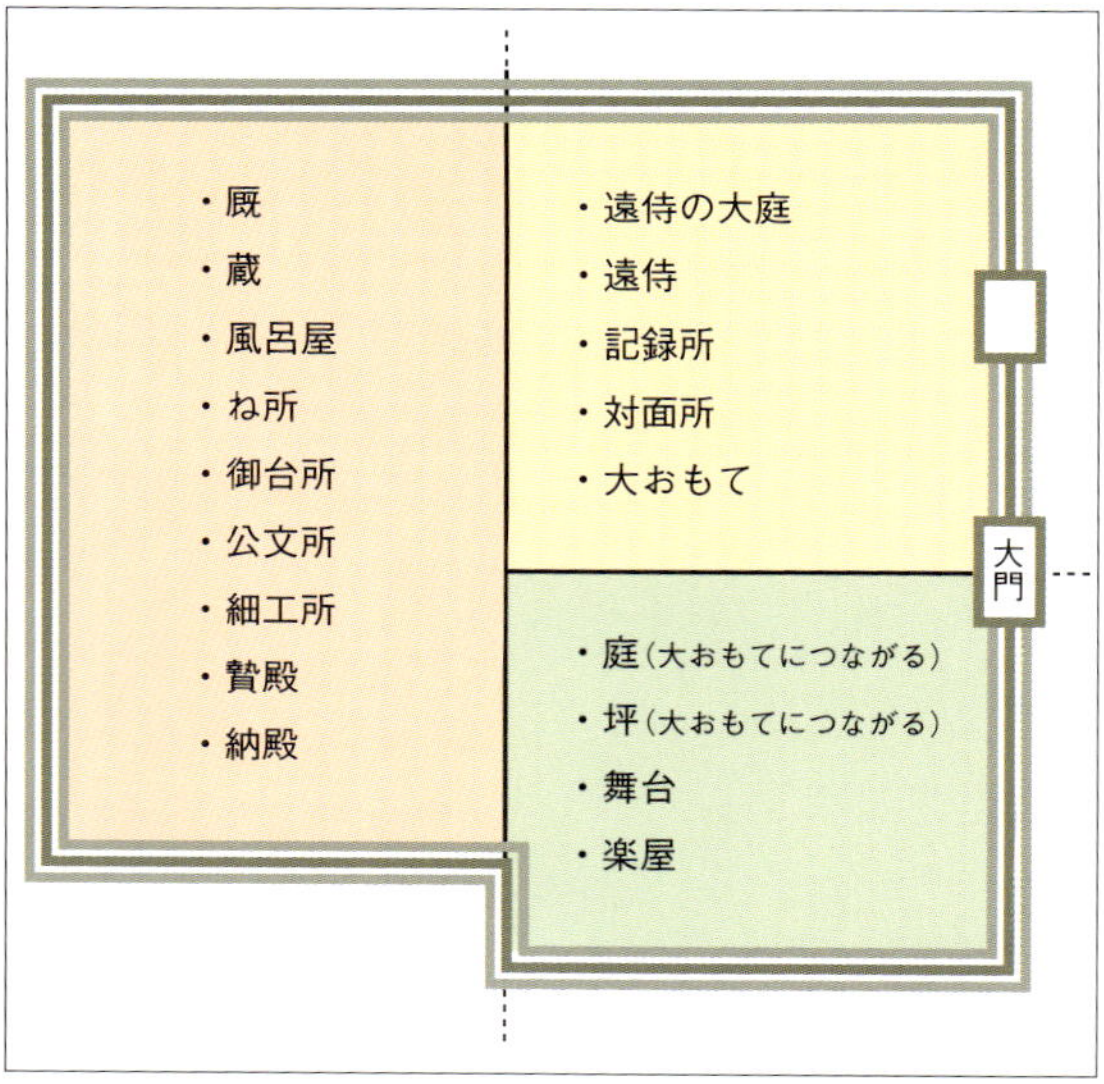

図21 ●作法日記から想定される大友館内部の様子
ハレの空間とされる「大おもて」を中心とする儀式空間と、庭園や舞台などの接客遊芸空間、そして「ね所」や「台所」など日常生活をおこなうケの空間に分かれていたと考えられる。

この「大門」は館の正門（礼門）とみられ、門を入ると「遠侍」の建物や「大庭」があったようである。「蔵」には金銀が納められていたようで、それを取り扱う侍一人と局《つぼね》（女官）一人の両者立会いのもとで、正月の蔵開きがおこなわれている。

そのほか「記録所」（侍衆の到着に携わる所）、「対面所」、「御台所」、「公文所」（食膳・衣類などを調える所）、「細工所」、「贄殿《にえどの》」（上巳《じょうし》の節句のふつ枕や盆の灯篭を調える所）、「納殿《のうでん》」（献上品の食材を納める所）、「ね所」（国主の寝所）、「風呂屋」、「厩《うまや》」などの施設が確認できるがすべてが単独の建物であるかはわからない（図21）。「大おもて」は、館の中心施設である主殿と考えられ、その内容からかなり大きな建物と考えられる。このことは義統の段階に主殿域の拡大がはかられることと合致している。「対面所」や「広間」の存在は、江戸時代の御殿や大広間をイメージさせる。

こうしたハレの空間とともに、日常の生活をおこなうケの空間の存在も具体的に知ることができる。

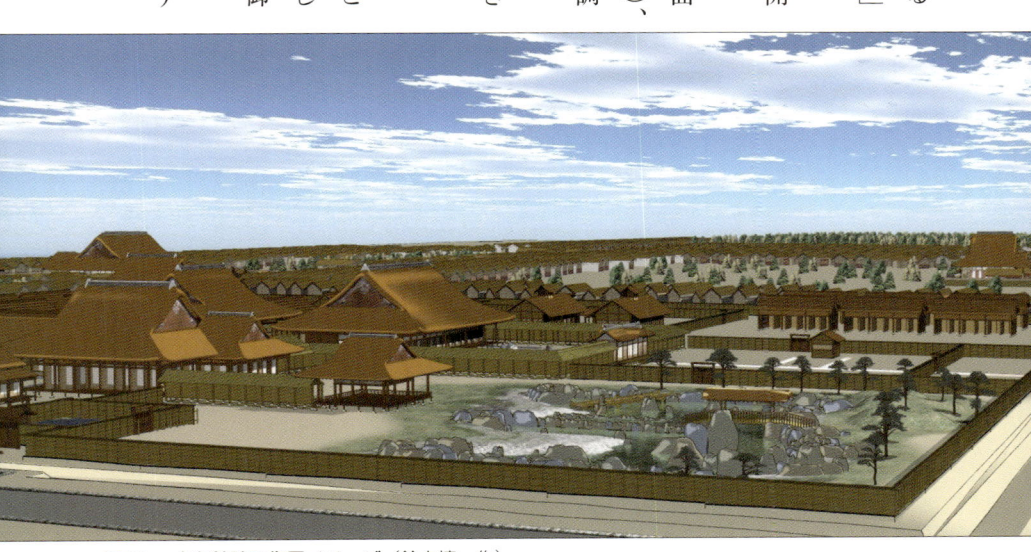

図22 ● **大友館跡の復元イメージ**（鈴木慎一作）
洛中洛外図屛風に描かれた室町将軍邸や発掘調査の成果などから復元を試みている。

館に勤める人びと

さらに、日記からは、館に勤めるさまざまな人びとのことも知ることができる。その筆頭が「宿老《しゅくろう》」で、重要事項を決定するため館に出仕し、合議をおこなっていた。

ここでの決定内容を大友家の当主に伝えたり、その意向を宿老に伝達したりする「聞次《ききつぎ》」や、当主が出す公文書を作成する「右筆《ゆうひつ》」、食事・祝宴をとり仕切る「椀飯奉行《わんめし》」「酒奉行」、寺社の取次ぎをおこなう「寺奉行《てら》」「社奉行《やしろ》」、「御台番《みだいばん》」「蔵番《くらばん》」といった建物施設の勤番に携わった人たち、当主の妻子に仕え奥向の仕事に携わった「局」「女房衆」「女中」なども館に詰めていた。

そのほか「同朋衆《どうほうしゅう》」や「猿楽衆」といった芸能集団に加え、「中間衆《ちゅうげんしゅう》」「御厩衆《みかわやしゅう》」など雑事や馬の世話にかかわった者、「桶結御作《おけゆいみつくり》」「塗師御作《ぬしみつくり》」「土器作り」といった職人なども抱えていたことがわかる。

以上、大友館の構造をみてきた。戦国大名の館や庭園が、実際の遺構にもとづいて研究されるようになったのは最近のことである。公方邸・管領邸など、この時代の館の構造は、南にハレの接客空間、北にケの日生活空間が配置されていた。

ハレの空間は主殿を主とする儀式空間と、庭園をめぐって展開する会所《かいしょ》を中心にする饗宴と茶・花・香・連歌などの遊芸空間とからなる。多くの例は、東南の位置に庭園が配置された。大友館もこうした都と同じ館のスタイルをとっており（図22）、それは大名の権威の表現であったのである。

第3章　南蛮貿易を追う

1　銀を携えた商人たち

「その頃には彼ら（豊後の商人）がもっとも裕福な商人たちであったし、ポルトガル船がもたらした絹をもっとも多量に買って行く人たちであったから、彼らは大量の絹を買い入れようと銀を携えて待ちかまえていた」（ルイス・フロイス「日本史」）

豊後の豪商

右の文章は、一五六三年頃、肥前国の横瀬浦《よこせうら》（長崎県）に入港するポルトガル船に対し豊後の商人たちが銀を携えて待ち構えていた様子を、ルイス・フロイスが記述したものである。

一六世紀後半に大友義鎮《よししげ》（宗麟）が九州六カ国の守護職を得ると豊後府内は最盛期をむかえ、

商都博多・堺との交流も活発になる。さらに、ポルトガル船や中国船の来航もあり、豊後の商人も急成長したと推測される。こうした豊後の商人の代表、仲屋宗越《なかやそうえつ》は、大坂・堺・京都の中心部に屋敷を構え、中国船が入港したときは最初に船荷の口開きを担当し、京都や堺の大商人が共同で買い取るところを、ひとりで大半を買い取るほどの豪商であったと伝えられている。

しかし、これまで大友氏の国際交易については、博多や堺などを舞台とする室町幕府や細川氏、大内氏、さらには織豊政権などの陰に隠れたかたちで、その実態はあまり知られていなかった。それが発掘調査によって、ようやく大友氏の対外交易の実態とその特徴をほかの中世都市と比較検討できるようになってきた。それは国際貿易都市として発展をとげた博多と並ぶ「豊後府内」の存在を裏付けるものであった。

出土した分銅

国際貿易都市であったことをはっきり示すものとしては、豊富な貿易陶磁器の出土があげられるが、それは後でみることにして、まず商取引を証拠づける遺物を紹介しよう。

豊後府内では、秤《はかり》の分銅や皿などが一六世紀後葉の遺構や整地層から出土している。出土した分銅には、上部の鈕《ちゅう》に紐をとおして吊り下げる「権《けん》」と秤皿に乗せる「分銅」の二種類があり、分銅にはさらに中央が細くなる「繭形《まゆがた》分銅」と扁平な円筒形をした「太鼓形《たいこがた》分銅」があった。さらに太鼓形分銅には円形と八角形のものがあった（図23）。

こうした道具は報告されているだけで六〇点あり、そのうち四八点は、第2章でみた大友館の向かいの桜町から出土したものである。しかも角の商家の礎石建物周辺からは二五点も出土しており、その南に隣接する調査区からは、八角形の太鼓形分銅の未製品が三点出土し、製作場所と想定される。

そして未製品を含む太鼓形分銅の八割以上に、大友家の定紋の三木紋《さんぎもん》である「三」の印が陽刻されており、大友氏の交易と深くかかわったものであることがわかる。

分銅についてもう少しくわしくみていこう。分銅の重さは、二一点出土している繭形分銅が〇・四～一八〇グラムで、二グラム以下が八点を占める。二四グラム以上の繭形分銅の素材は、表面は青銅を使用し、そのなかに鉛を注ぎ込んだ跡があった。「両」と文字が刻まれた表面もみられる。二〇グラム以下の繭形分銅は、青銅を鋳型に注ぎ込んだだけで仕上げている。

太鼓形分銅の重さは、未製品を除き、〇・一～八〇グラムまでで（三三点）、その重量分布は明確で

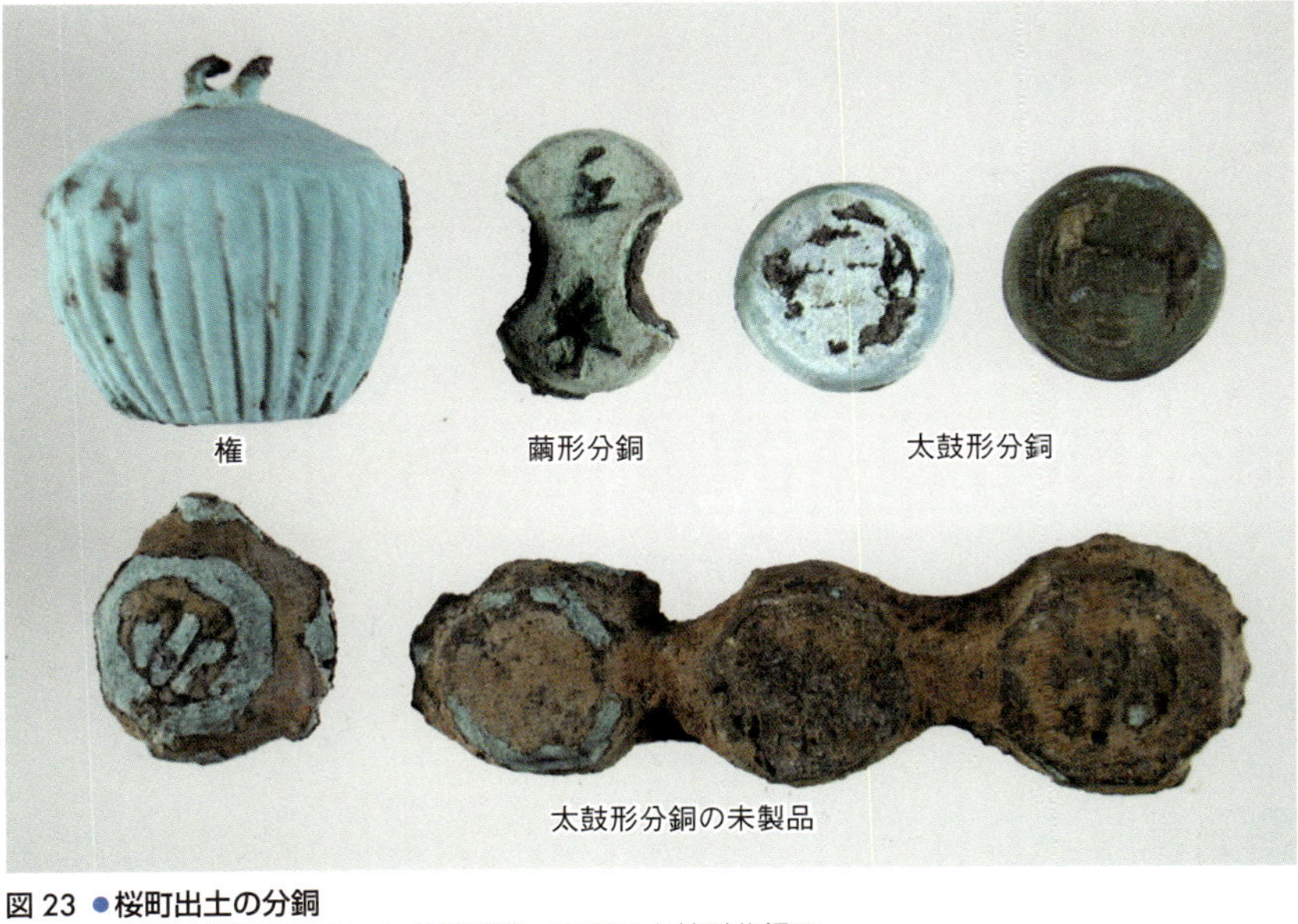

図23 ●**桜町出土の分銅**
上段は桜町で出土した各種分銅。下段は太鼓形分銅の未製品で、周辺が未調整のまま。

ないが、〇・一グラム前後、一一グラム前後、一六・五グラム前後のものがある（図25）。

未製品は八角形のものが三個連なった状態で出土している。完成品に至るには、これを分断し周辺のはみ出している部分を削りながら重さの調節するものと推測でき、鋳型の形態や製作方法を知ることができる。

権は三点出土しているが、側面に縦の刻みがめぐる球状のものと、底面が広がっているものの二種類がある。前者は五〇〜八七・一グラム、後者は二六八・五グラムで、分銅に比較すると重いものを計るためのものであろう。

横小路町では分銅をのせる天秤皿が出土している（図24）。青銅製の破片であるが、復元すると直径は約六・五センチになる。

このような分銅で計ったのは、商取引の主役である銀の重量であった。フロイスも「われわれの間では金や銀の貨幣を使う。日本ではその切片が常に重量で通

図 24 ● 天秤皿の一部
横小路町で出土した天秤皿の破片。
銀塊を計っていたものだろうか。

図 25 ● 豊後府内出土の各種太鼓形分銅
大友家の定紋を示す「三」の印が陽刻されており、
大友氏と深くかかわるものであることがわかる。

用する」と述べているように、銀の重量を細かく計量するために、非常に軽い分銅までつくられたのであった。

しかも銀による商取引において、一定の度量衡を用いることは重要であった。それを管理することが、領国内での商業活動の安定化と活発化につながる。分銅の表面に陽刻された「三」の印がそれを示しているし、府内には度量衡の管理をおこなう人物の一人として上市町の「岩《いわ》田《た》与《よ》三《さ》兵《べ》衛《え》入道」が「計屋《はかりや》」として商取引の重要な役割を果していたことを古文書は伝えている。天正一六年（一五八八）には、臼杵と佐賀関《さがのせき》の上浦《かみうら》と下浦《しもうら》にもその計屋を設置している。

2　ポルトガル船の寄港

ザビエルの寄港地

豊後府内で対外交易の窓口になったのは「沖の浜」である。町の北西、大分川の河口近くにあり、「府内古図」には船を係留する船入と町並みが描かれている（図26）。フランシスコ・ザビエルも、天文二〇年（一五五一）に山口から陸路で日出《ひじ》に入り、船で沖の浜に上陸している。沖の浜の名が史料にはじめて登場するのは、中国人・鄭舜功《ていしゅんこう》の著書『日本一鑑《にほんいっかん》』である。鄭舜功は義鎮の代にあたる弘治二年（一五五六）、海禁政策を破り中国沿岸で密貿易をおこなっていた倭寇禁圧の要請のため、明国から派遣されて府内に来航した。

その滞在中に見聞したことをまとめたのが『日本一鑑』で、そのなかに「澳濱」の名が登場する。さらにさかのぼると、天文一〇年（一五四一）に唐船（明国ジャンク船）が神宮浦に寄港したことや天文一四年（一五四五）にポルトガル商人六、七人を乗せた唐船が府内に近い港に入港したとする史料などがあり、これらが沖の浜とされる。

一方、一四七一年に書かれた李氏《りし》朝鮮の申叔舟《しんしゅくしゅう》による『海東諸国紀《かいとうしょこくき》』には沖の浜の名はみられないことから、沖の浜は一五代親繁《ちかしげ》から二〇代義鑑《よしあき》の間に開港したと思われる。

博多とならぶ貿易港

もともと大友氏の貿易の窓口は、元寇時の恩賞で与えられた博多「息浜」であった。元寇後は息浜を領有し、永享元年（一四二九）の一二代持直《もちなお》による朝鮮

図 26 ● 府内古図に描かれた沖の浜
フロイスは「府内近くに、3 マイル（約 4.8km）離れたオキノファマ（沖の浜）とよばれる大きな村がある」と報告しており、絵図には本町・裏町・新町の 3 つの町が描かれている（図 5 を拡大）。

への遣使以後、博多は大友氏の対朝鮮交易の拠点となっていた。

しかし、少弐氏《しょうに》、大内氏などと博多支配をめぐる抗争が長く続き、天文七年（一五三八）に室町幕府の仲介で大友氏と大内氏の和睦が成立したあとも、大内氏は第一八次遣明船（大内船）を博多から出航させるなど占領を続け、ようやく幕府の命令によって義鑑に返されている。

義鑑は、こうした博多の不安定な状況を打開するため、博多息浜に代わる安定した貿易港を豊後府内に整備したと思われる。

そして沖の浜には、ポルトガル船が天文二〇（一五五一）から永禄三年（一五六〇）にかけて五回寄港している（図27）。また鄭舜功・漳洲《しょうしゅう》（弘治二年〔一五五六〕）の明国船の寄港、さらに宗麟の南蛮派遣船の基地港、戦争時の軍港と、沖の浜は重要な役割を果たしたのである。

その後、義統《よしむね》が豊臣の大名化した後も、沖の浜は秀吉の朱印船貿易港の一つとして使われるが、慶長元年（一五九六）の大地震で歴史の舞台から姿を消してしまう。

図27 ●沖の浜に入港する南蛮船イメージ（鈴木慎一作）
府内に来航したポルトガル船は沖の浜に停泊し、積荷を陸揚げした。

3　多種多様な貿易陶磁器

大友氏の活発な国際交易を示すように、豊後府内からは東シナ海から南シナ海に広がる国々の陶磁器が出土する。その一部を紹介しよう。

中国産（図28・29）　青花《せいか》（染付《そめつけ》）、青磁《せいじ》、赤絵《あかえ》、紅地金襴手《こうじきんらんで》、白磁《はくじ》とともに、黄色や緑色、褐色の釉で彩られた華南三彩《かなんさんさい》陶器類（トラディスカント壺、鶴形・鴨形・魚形などの各種型物水注《かたものすいちゅう》、水滴《すいてき》、盤《ばん》、置物など）、天目碗《てんもくわん》、褐釉・黒釉の陶器貯蔵具、焼締《やきしめ》陶器類（擂鉢《すりばち》、鉢など）があり、良質の景徳鎮《けいとくちん》の製品に加え、中国南部（広東《かんとん》・福建《ふくけん》）の軟質で黄白色の胎土《たいど》をもつ漳《しょう》洲窯《しゅうよう》青花や華南三彩陶器、日用雑器（貯蔵具、擂鉢、鉢など）などが含まれる。

朝鮮産（図30）　白磁、灰青釉《かいせいゆう》陶器、彫三島《ほりみしま》陶器などの朝鮮王朝陶磁器があり、茶陶《ちゃとう》にかかわる青灰釉《せいかいゆう》碗や彫三島碗とともに、片口《かたくち》、舟徳利《ふなとっくり》などの日用雑器がある。

東南アジア産（図31・32）　タイやベトナム、ミャンマーの陶磁器があり、タイ・メナムノイ窯（系）の焼締陶器四耳壺《しじこ》や黒釉四耳壺《しじこ》、中部ベトナム産焼締長胴壺（瓶《へい》）、ミャンマー産黒釉三耳壺《さんじこ》などの貯蔵用具や、茶陶に「宋胡録《すんころく》」とよばれるタイ産シーサッチャナライ窯鉄絵陶器小壺・合子《ごうす》、北部ベトナム産と推定される印花文《いんかもん》白磁碗、日本で初例となる練り上げ手土器のクンディー形水注《すいちゅう》などである。そのものが商品となるもの、容器（東南アジア産焼締陶器壺・瓶など）となるもの、唐人町などに居住する外国人商人が日常使用するもの（クンディー形水注や中国南部焼締陶器の鉢や擂鉢）、祭祀具（大型華南三彩）となるものなどである。

図 28 ● **華南三彩貼花唐草文五耳壺**
大友氏との関係の深い勝光寺に伝えられる壺で、緑・黄・褐色の三色で彩られた色鮮やかな陶器。豊後府内を象徴する製品である。「トラディスカント壺」ともよばれるが、それはイギリス人コレクターであったジョン・トラディスカントが好んで収集したことに由来する。

①紅地金襴手碗の破片
外面に赤の釉薬を施し、金箔で宝相華唐草文を描いている。万寿寺の堀跡からみつかった。

②華南三彩陶器馬形水滴（頭の部分）
小型のもので、ほかに鳥形・魚形・琴高仙人形・らくだ形などがあり、馬形・らくだ形水滴は日本での出土はほかにない。

③陶器壺
やや暗い褐色の釉に、肩に縦ないし横の把手を付け、「五」や「F」字状のヘラ描きや「福」の刻印などを施すものがある。笠状の蓋と考えられる製品も出土している。

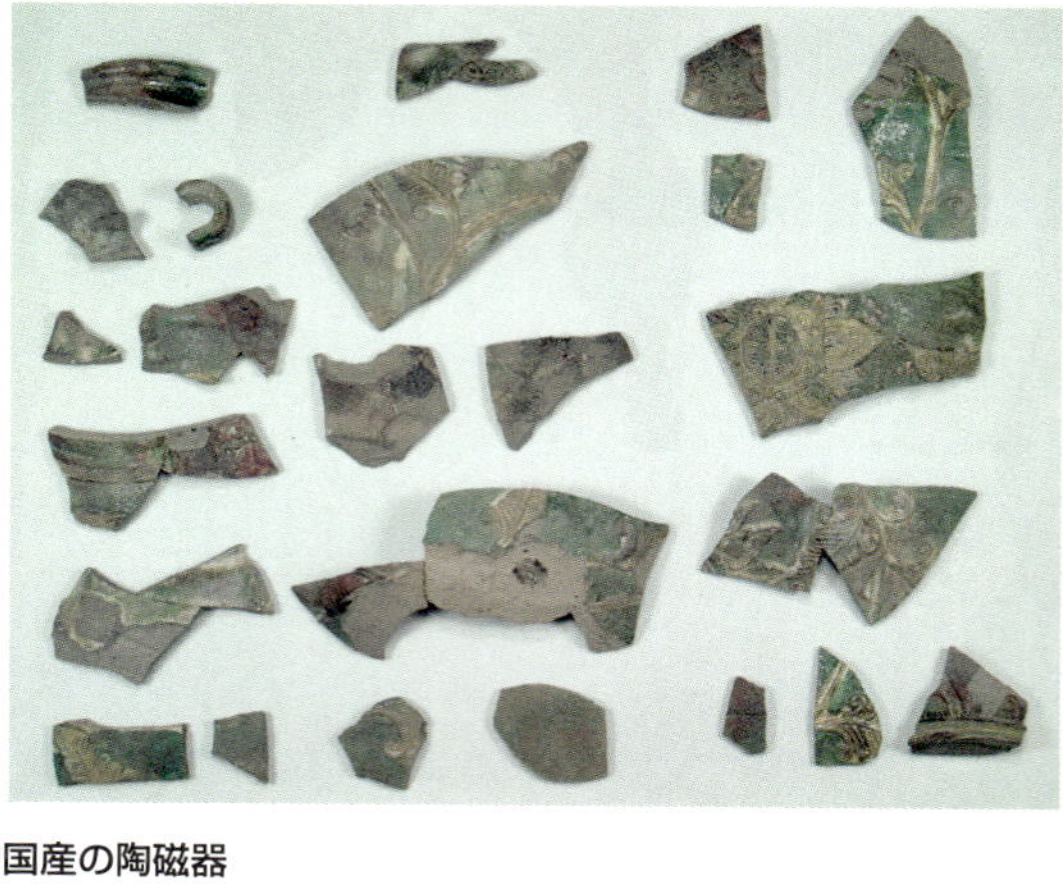

④火を受けた華南三彩貼花唐草文壺の破片
発掘調査でみつかった、勝光寺と同様の壺の破片で、肩から胴部に唐草文や宝相華文、胴部下位に蓮弁文を貼り付けた文様を描いている。

図 29 ●中国産の陶磁器
豊後府内より出土する貿易陶磁器は、官窯であった景徳鎮や中国南部の民窯製品など、中国産陶磁器がその主体を占める。

①彫三島茶碗
茶陶として使われた高麗茶碗のひとつ。平たい碗形で、
内外面に桧垣文・印花文を白い化粧土で象嵌している。

②灰青釉薬陶器碗
「斗々屋」「蕎麦」とよばれる高麗茶碗によく似た製品で、出土のあり方などから多くは茶道に使われる抹茶茶碗と考えられる。

③白磁皿
大きく削り出した高台に見込みに段をもち、胎土は軟質で
透明の釉をかけている。広州窯近くの民窯製品か。

図 30 ● **朝鮮王朝産の陶磁器**
茶道具に関する製品が多く、豪商や武家と考えられる
屋敷跡からまとまって出土している。

①焼締陶器壺
（タイ・メナムノイ窯系）

なかに物を入れて運ぶために使用された壺で、東南アジア産ではもっとも多く出土している。赤褐色の胎土に白い釉を化粧がけし、肩に４カ所の把手をつける。

②練り上げ手土器（クンディー形水注で円盤状の口・頸部片、タイ）
イスラム教の儀礼で浄水を入れたとされる水注。乳房形の注ぎ口と円盤状の口部が特徴で、赤と白の粘土を練り混ぜた皮膜を表面に薄く貼り付けて装飾効果を出している。

③鉄絵合子
（タイ・シーサッチャナライ窯）

合子の蓋の部分で、日本では茶道の「宗胡録」とされるもの。蓋は宝珠のツマミがあり、鉄絵で唐草文などを、蓋受けをもつ身の文様と連続して描かれている。

図 31 ● 東南アジア産の陶磁器（1）
豊後府内の貿易陶磁器をもっとも特徴づけるものは、東南アジア産のものである。それは大友氏の対外貿易の広がりを端的にあらわしている。

①白磁碗（ベトナム北部地方）
出土のあり方から茶陶として使われたと考えられる。削り出した低い高台の内側は無釉で、内面に型押しされた印花文を施し、見込みには目跡がある。

②焼締陶器壺（ミャンマー）
マルタハン・ジャーとよばれており、黒い釉をかけ三カ所に把手を付けた大型壺である。

③焼締陶器長胴壺（〔瓶〕ベトナム中部地方）
釉をかけずに高温で焼き上げた胴の長い壺で、液体ではなく黒砂糖や調味料などを入れる容器とされ、日本では茶道の花入れとしても使われた。

図32 ● 東南アジア産の陶磁器（2）
タイ・ベトナム・ミャンマーの製品が出土しており、タイの焼締陶器が主体を占める。ミャンマーの製品は4例知られており、たいへんめずらしい。

4　アジアへの雄飛

東シナ海へ

朝鮮との交易　大友氏の対外交易（図33）は、永享元年（一四二九）、対馬の宗氏や博多商人を介して第一二代持直《もちなお》による朝鮮遣使から始まる。こうした外交使節をかねた朝鮮への貿易船は「歳遣船《さいけんせん》」とよばれ、寛正二年（一四六一）から永正元年（一五〇四）の約四〇年間に二四回に及んでいる。また、博多の商人で大友氏の支配下であった道安《どうあん》は、琉球と博多をつなぐ貿易ルートの重要な担い手で、琉球使節として三度朝鮮に出向くなど博多は琉球との関係もきわめて強い。朝鮮からのおもな輸入品には毛皮（トラ・ヒョウ・テンなど）、綿布、麻布、人参などであった。トラやヒョウの毛皮は大友氏から将軍家への贈物品のなかにもみえる。

その後は、少弐《しょうに》氏、大内氏、毛利氏との博多の支配権をめぐる抗争のため、博多の経営はきわめて不安定な状況が続くが、戦国時代末期（一六世紀後半から末）には大友氏が代官を置き博多を一元支配するようになると、ふたたび博多の豪商を介した交易が安定的に進められた。

この時期、豊後府内では茶陶を中心とする朝鮮王朝産陶磁器が、豪商クラスの商人屋敷に集中して出土する（図30参照）。対馬を介して朝鮮との商業ネットワークを確立していた博多の豪商嶋井宗室《しまいそうしつ》は、茶の湯をとおして博多を預かる吉弘《よしひろ》氏と結びつき、大友氏領内の流通課税免除の特権を得て商業活動をおこなっている。朝鮮製陶磁器は、こうした博多豪商の交易・流通システムによってもたらされたと考えられる。

西暦	年号	朝鮮・博多	中国	ポルトガル	種子島・琉球	関連事項
1429	永享１	初めて朝鮮使節派遣				12代持直
1451	宝徳３		11次遣明船(6号船)派遣			15代親繁
1461	寛正２	息浜から歳船1・2船を派遣				1461年~1504年に24回朝鮮通交
1465	寛正６		12次遣明船硫黄4万斤調達			16代政親
1467	応仁１					応仁の乱
1469	文明１	少弐氏と博多を分治				
1476	文明８		13次遣明船帰朝船警護			16代政親
1478	文明10	大内氏の博多支配始まる				
1483	文明15		14次遣明船に硫黄を上納			16代政親
15世紀後半・末		息浜対朝・明貿易の基地				17代義右　造船用の木材調達を伝達
1493	明応２		15次遣明帰朝船を下賜			17代義右
1501	文亀１		勘合の下賜を要求			18代親治
1515	永正12					中国の漆喰職人「覚明」在住
1529	享禄２	息浜、領主権ある程度回復				20代義鑑
1538	天文７	和解後も大内氏息浜支配				
1542	天文11					王直平戸へ滞在
1543	天文12					種子島に鉄砲伝来
1544	天文13				寧波へ種子島出向(大友船？)	
1545	天文14		中国のジャンク船来航	ポルトガル商人が来府		
1546	天文15		勘合を得て使僧梁清を派遣			
1547	天文16			ヘディオ・ヴァス・デ・アラゴン府内在住		最後の遣明船(大内船)
1550	天文19					21代義鎮(宗麟)家督を継ぐ
1551	天文20			ポルトガル船(ドアルデ・ガマ)来航		フランシスコ・ザビエル来府
1552	天文21			カゴ神父来航		
1553	天文22				義鎮、種子島時堯より鉄砲を送られる	
1555	弘治１			ルイス・アルメイダ来府		
1556	弘治２		鄭成功・將洲来府	ポルトガル船来航		宗麟臼杵丹生島城へ
1557	弘治３	博多支配一元化	王直に供応して大友船派遣			
1558	永禄１			ポルトガル船来航		
1559	永禄２			ポルトガル船来航		
1560	永禄３			ポルトガル船来航		
1567	永禄10			ニセヤ司教に硝石200斤依頼		
1568	永禄11			再度ニセヤ司教に大砲依頼		
1571	元亀２					餘慶寺梵鐘に中国人「盧高」「陽愛有」
1572	元亀３					島津氏種子島・琉球に大友船の禁制要求
1573	天正１		南蛮帰朝船台風で薩摩にて係留			22代義統 家督を継ぐ・室町幕府亡ぶ
1576	天正４			高瀬浦に大砲(石火矢)到着		
1579	天正７					島津氏種子島・琉球に大友船の禁制要求
1582	天正10					島津氏種子島・琉球に大友船の禁制要求
1586	天正14					島津氏府内侵攻・府内焼失
1588	天正16					漆喰職人「義明」「元明」在住
1589	天正17					中国人「ゑいはん」「けいさん」在住
1591	天正19					中国人「ふくまん」在住
1593	文禄２					義統豊後除国

図 33 ● 大友氏の国際交易略年表

永禄３年（1560）以降、ポルトガル船などの来航記録はなくなる。種子島・鹿児島を経由する海上ルートは台風に遭遇することが多く、危険であった。そのためリスクの少ない西九州（長崎）へのルートをたどるようになった。

中国との交易　大友氏は、朝鮮との交易とともに中国（明）との交易にも積極的にかかわっていく。足利義満によって始められた明との「勘合貿易《かんごう》」は、応永八年（一四〇一）から天文一六年（一五四七）までに一九回おこなわれているが、大友氏は、宝徳二年（一四五一）親繁《ちかしげ》のときに初めて第一一次の六号船（大友船）として加わり、第一二次の幕府船、細川船、大内船に硫黄四万斤を調達するなど、おもに豊後で産出する硫黄の輸出にかかわるとともに、遣明船の警護などに携っている。この貿易は、明国皇帝に対する進貢物・表文《ひょうぶん》を携える公貿易であり、日本からのおもな輸出品は刀剣、銅、硫黄、蘇木《そぼく》、扇など、輸入品は生糸《きいと》を中心に絹織物、砂糖、陶磁器、水銀、漆器、書籍などであった。

この時代、朝鮮・中国は海禁政策をとっており、こうした冊封《さくほう》体制にもとづく公的貿易以外は通交を許されなかった。義鑑は天文一五年（一五四六）に幕府から勘合を受け、公貿易を試みるが失敗に終わっている。一五世紀後半から一六世紀中頃、豊後府内出土の貿易陶磁器が少量である（全国的傾向でもある）のはこうした要因が考えられる。反面、海禁政策は琉球王国の中継貿易を繁栄させ、本国から締め出された後期倭寇勢力の交易圏の拡大と活況化をもたらすことになる。

南シナ海への雄飛

私貿易への転換　天文二年（一五三三）、灰吹法《はいふきほう》という新しい銀精錬技術が開発され、石見《いわみ》銀山など日本の銀の産出額が急増し、輸出品の中心が銅から銀に転換していく。この日本銀の輸出増は、後期倭寇の活動を活発化させ、日本が重要な交易国となった。日本の銀と中国の生糸が交易品の中心となり、銀をもとめて中国商人がつぎつぎと来航するようになり、全国各地に唐人町が形成される契機となったとされる。その後期倭寇を代表するのが倭寇の首領王直《おうちょく》であり、義鎮は王直と組み、公貿易から華南地域を中心とする私貿易へと転換をはかっていく。

義鎮は、弘治二年（一五五六）の「日本国王」印を用いて朝貢する大内義長《よしなが》（義鎮の弟）との同行や海禁緩和の政策転換を知って帰国する王直に供応して弘治三年（一五五七）に派遣船を岑港《しんこう》へ送るなど、当初は、勘合貿易システムに則した公的貿易の継承を試みるがことごとく失敗している。

弘治三年の派遣船は倭寇船団の一味とみなされ船を焼かれるが、柯梅《かばい》で新船を建造し華

図34●横小路町跡の埋甕から出土した貿易陶磁器
朝鮮王朝産・東南アジア産の陶磁器が一定量を占め、それに中国南部の多彩な華南三彩陶器などが加わるもので、17世紀初め頃の博多・長崎・堺に類似する。豊後府内の先進性がうかがえる。

南地域に南下して密貿易をおこない、実質的な私貿易への転換をはかっている。豊後府内での一六世紀中頃から後半における中国産陶磁器の急増と東南アジア産陶磁器の出現（図31・32参照）は、こうした交易システムの変容にその要因が求められる。

南蛮貿易　中国船の倭寇的世界の拡大は、明国の解禁政策の破綻をきたすことになるが、一方この倭寇交易圏にポルトガル商人を中心とするヨーロッパ人が新たに参入してくる。いわゆる南蛮船の活動である。南蛮船は交易と布教をもとめて九州を中心につぎつぎと来航するようになり、豊後府内にも入港するようになる。

輸入品は、生糸・絹織物・金・鉄砲・鋼鉄（南蛮鉄）・水銀・鉛・硝石《しょうせき》などを中心として、ほかに砂糖・薬品・ガラス製品・望遠鏡・時計・ワイン・インド産更紗《さらさ》・革製品・菓子などのビン詰・伽羅《きゃら》などの香木類・コショウなどであり、輸出品は銀・硫黄・刀剣・漆器（南蛮漆器）・海産物（フカヒレなど）・指物《さしもの》類などであった。宗麟も鉄砲や大砲（大石火矢《いしびや》）、硝石などをこの南蛮船によって輸入している。

独自の南シナ海交易ネットワーク　こうした環シナ海における「南海交易」そして「南蛮貿易」といった交易ネットワークの拡大と交易システムの変容は、明の海禁政策を破綻させ、一五六七年の海禁破棄とつながる。これにより中継貿易国琉球は衰退していき、一五七〇年を最後に琉球船の東南アジアへの渡航は終わっている。

この頃、薩摩島津氏は南西諸島方面への大友船を意識した禁制強化を種子島氏（一五七二年）、琉球国王（一五七九・八一年）に要請している。一五七三年には大友氏の南蛮派遣船が帰朝途中に、台風により難破した船を係留（拿捕《だほ》）するといった行為など、大友氏の種子島・琉球への渡航ルートの規制を強めている。

つまり、宗麟は、南蛮すなわち東南アジア諸国との直接交易を頻繁におこなっていたことを意味しており、大友氏は独自の南シナ海交易ネットワークを形成していたと考えられる（図35）。豊後府内から出土する膨大かつ多種多様な華南三彩や東南アジア産陶磁器などはこうしたポルトガル商人や東南アジア諸国との直接交易によると考えられる。

宗麟は、室町幕府の弱体化にともなう戦乱から織豊政権の成立といった激動の時代に、世界の貿易センターへと発展した南シナ海の国々との直接交易をいち早く実現したのである。

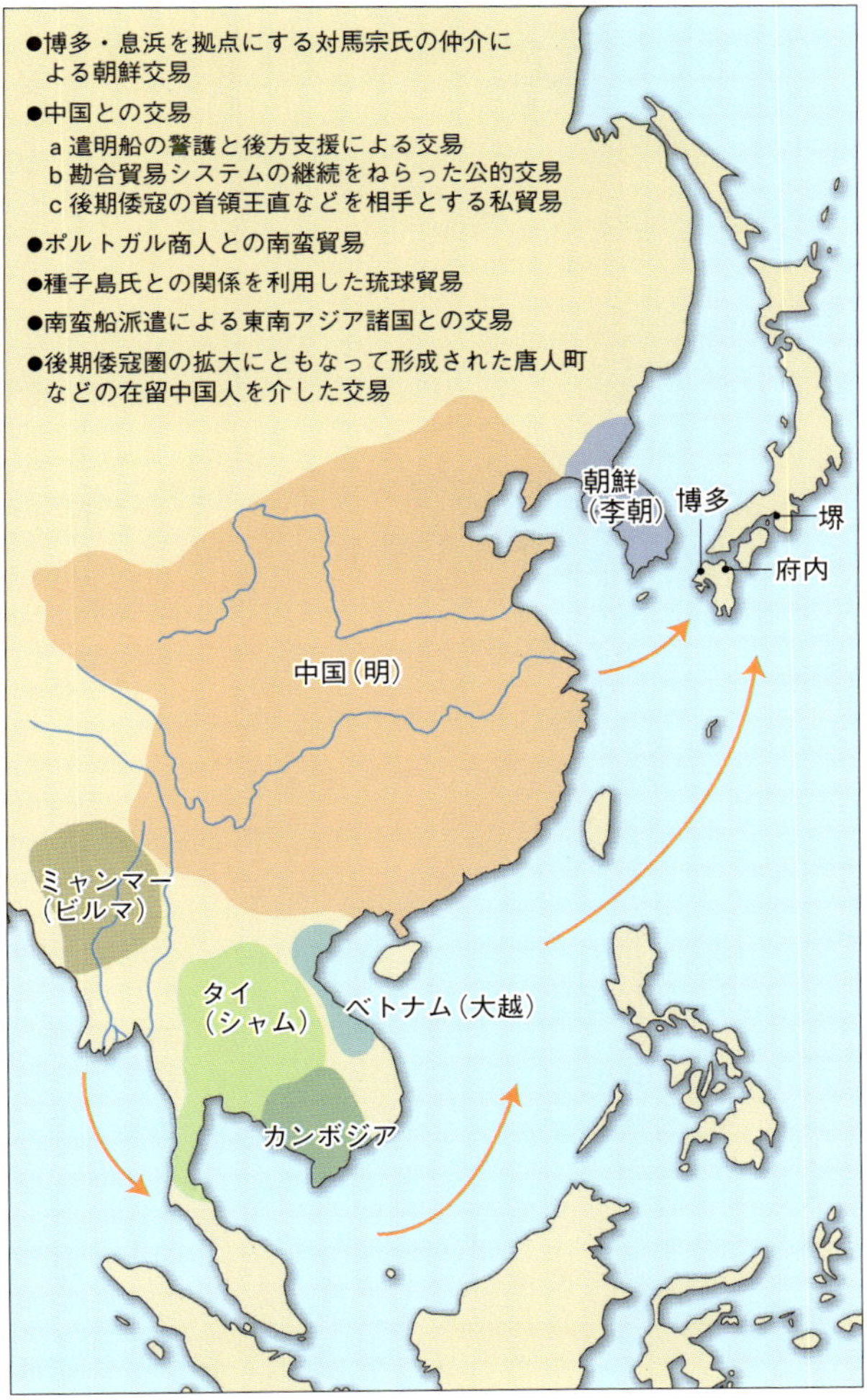

図35 ● 大友氏の国際交易のシステム

第4章　キリシタン布教の面影

1　ザビエルの到着

「国主（大友義鎮《よししげ》〔宗麟〕）は、我らの語るところを甚だ好ましく聴いたと答え、……自領にキリシタンがいないのは非常に遺憾であり、……我らは当地に留まって領国でキリシタンをつくるように言い……」一五五四年、ゴア発、ペドゥロ・デ・アルカソヴァ修道士のポルトガルのイエズス会修道士ら宛書簡

ザビエル一行の行列

天文二〇年（一五五一）八月、山口で布教していたイエズス会宣教師のフランシスコ・ザビエルのもとに、別府湾にドアルテ・ダ・ガマを船長とするポルトガル船が入港したとの知らせ

があった。ザビエルは、さっそく山口を発ち、豊後府内を訪れる。

その目的は、マラッカやゴアの同僚たちからの連絡を受けとることやポルトガル商人・船員たちに対する宣教師としての役割を果たすことと同時に、大友義鎮に対し、領国内での布教と保護の許可を得るためであった。

九月中旬頃、ザビエル一行が山口からポルトガル船の停泊している府内に到着した。ガマ船長は旗で船を飾らせ、いっせいに礼砲を発射して歓迎の挨拶をした。義鎮は、ザビエルの到着を知ると、さっそく大友館へ招待した。

本船から華々しく飾られた小舟に乗り移った一行は、波止場で下船すると、見物に押し寄せた群衆のなかを、高価な衣服を身にまとったザビエルを中心に荘重な行列をなして、府内の町を大友館に向けて進んでいったという。このとき義鎮は二一歳、前年に家中の政変をおさめ第二一代当主になったばかりであった。

布教の始まり

義鎮はキリスト教に関心をもち、府内での布教を許可した。目的を達成したザビエルは、一一月に出港するポルトガル船で日本を離れてしまう。そして、ザビエルが派遣した宣教師バルタザール・ガーゴが二人の修道士ドゥアルテ・ダ・シルヴァ、ペデロ・デ・アルカソヴァとともに布教活動のため豊後府内に到着したのは翌年の九月であった。

ガーゴは義鎮から宿泊のため屋敷を一軒与えられる。その後、一二月に山口で布教中のコスメ・デ・トルレス上長と会って情報交換をおこない、翌一五五三年二月に府内に帰還し、ふたたび義鎮を訪れ、正式に領国内で宣教師の保護、教会の建設を含めた布教許可を得た。宣教師の書簡には「豊後の国王はイエズス会のパードレ達に、彼等が教会、宿舎、菜園及び彼らの望むものをすべて作ることができるように永久に付与するものとして地所を与えました」と記されている。

義鎮自身、それから二四年後の天正五年（一五七七）に洗礼を受け、正式にキリスト教徒となっている。府内の都市建設が本格化したのもちょうどその頃である。

ダイウス堂

さて、イエズス会に寄進した地所が、府内古図の第4南北街路沿いの中町の裏手に描かれる「ダイウス堂」（図36）にあたると考えられている。第4南北街路から約一〇〇メートル西方の位置に南北方向に低湿地があるが、中町の町幅が約三〇メートルとしても十分な空間がある。

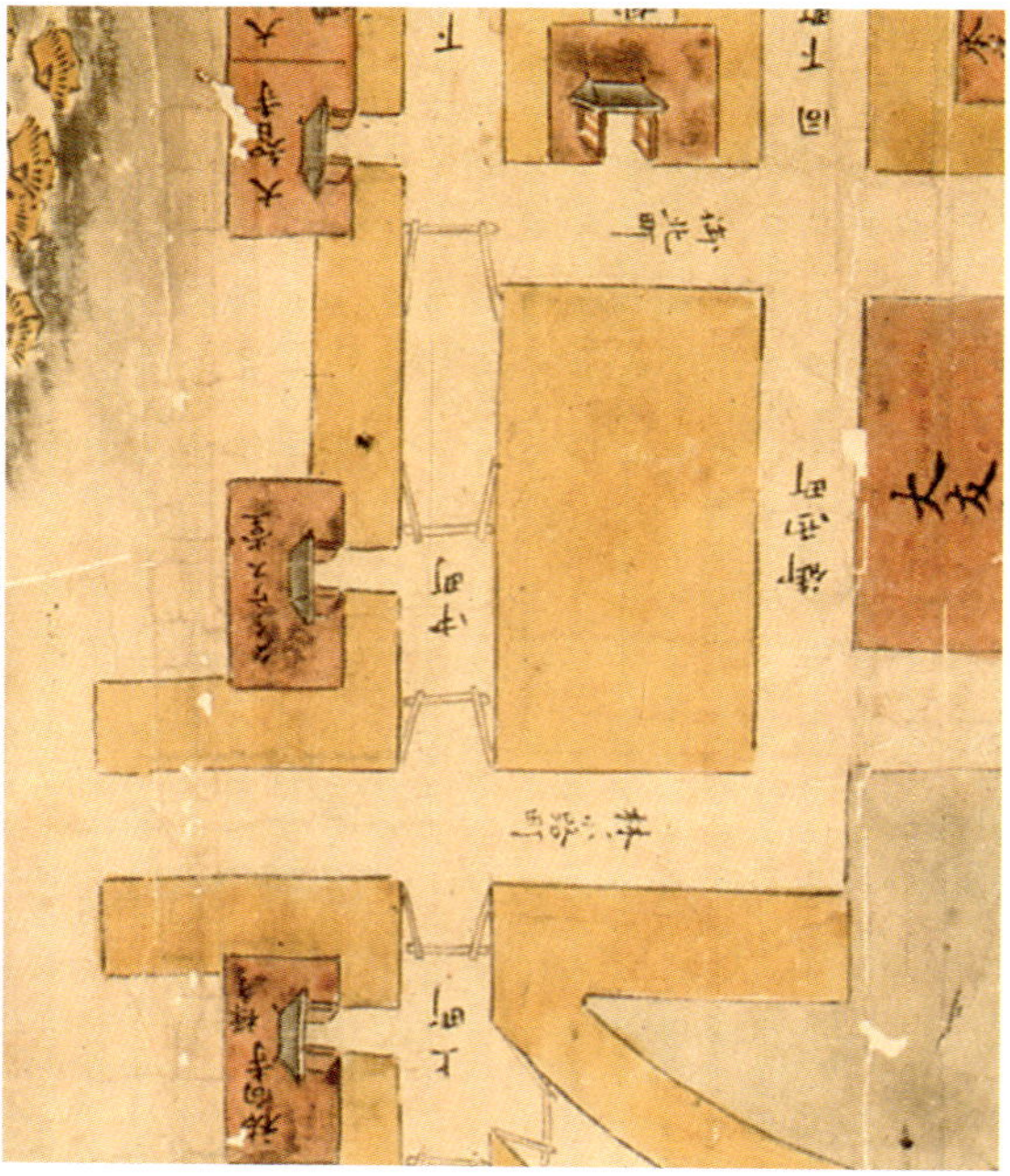

図36 ● 府内古図に描かれたダイウス堂
第4南北街路沿いの中町の町屋の裏手に「ダイウス堂」（デウス堂）が描かれている（図5を拡大）。

宣教師たちは、この一五五三年から一五八一年にかけて、手狭になれば、隣接地を購入しながら拡大させ、この場所に教会・修院・病院・慈悲院《じひいん》・墓地・育児院・コレジオなどのキリスト教関連施設を建て、豊後国はもとより、日本布教の拠点のひとつとして充実させていくのである（図37）。

2　キリシタン墓地の発見

町のなかの墓地

この中町の南端部分は、府内古図では第4南北街路から西にのびる街路とその両側に町屋が描かれている。ところがＪＲ高架事業にともなう発掘調査では、両側に深い溝をもつ西にのびる街路はみつかったものの、街路沿いに町屋は設置されてないことがわかった。そして替わりにみつかったのが一八基の墓である（図38）。この墓地は北に向かって広がっており、発掘したのは南端の一部である。すなわち、中町の町屋の南端の裏側は墓

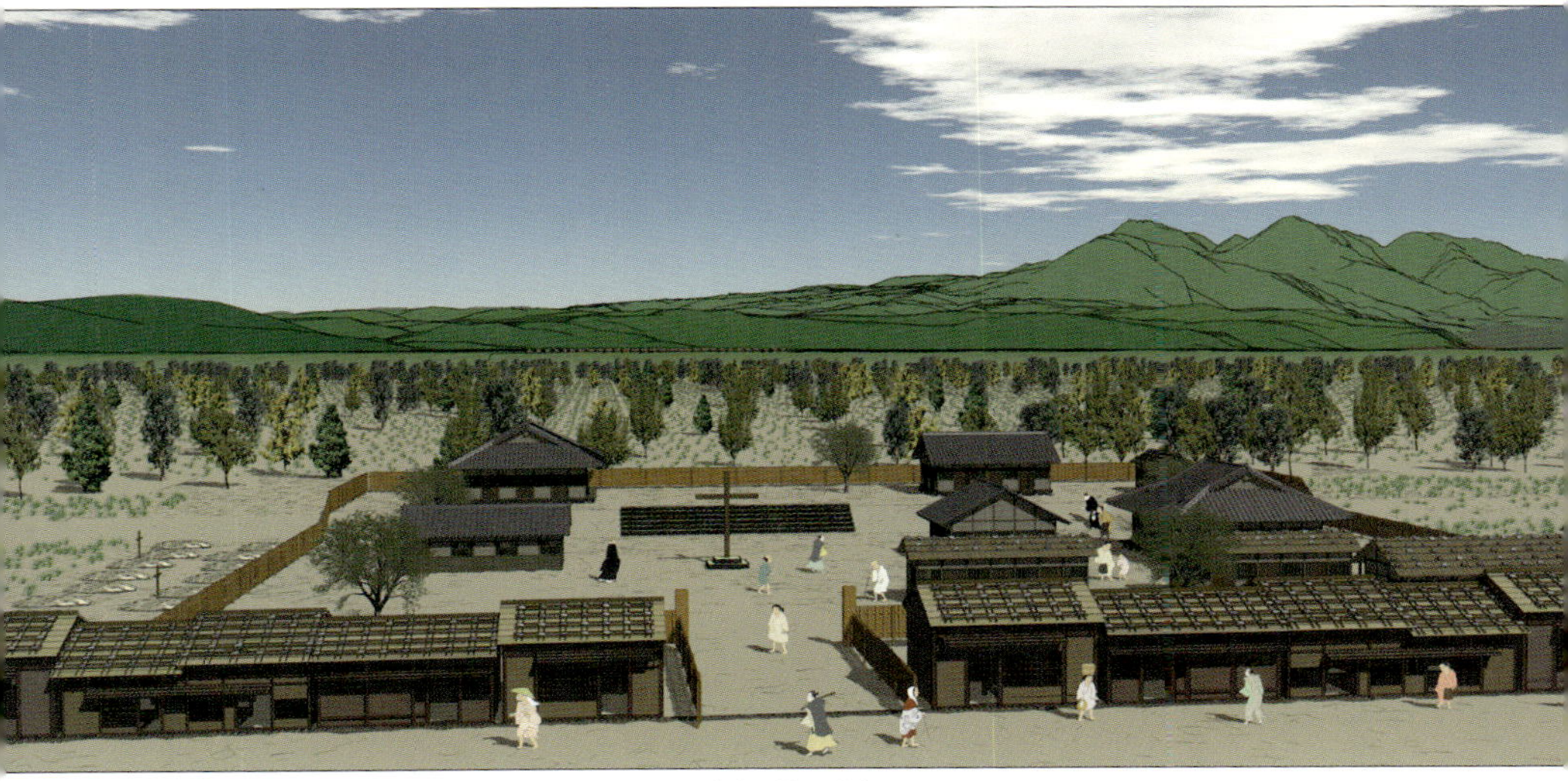

図37 ● 府内のキリスト教会施設イメージ（鈴木慎一作）
東側から見た景観を復元したもの。街路沿いに平入りの町屋（中町）があり、裏手に教会施設がある。南端（写真左手）は墓地となっている。

地となっていたわけである。

仰臥伸展葬

しかも、このなかには仰臥伸展葬《ぎょうがしんてんそう》で、腕を交差する姿勢で埋葬された成人が含まれていた（図39）。豊後国の一六世紀の埋葬姿勢は側臥屈葬《そくがくっそう》や座葬《ざそう》が一般的である。隣接地にキリシタン施設が想定されている場所でもあり、その特異な埋葬姿勢は注目された。

みつかった一八基の墓は、層位・切り合い・出土遺物などの考古学的な判断から一六世紀前葉、一六世紀第3四半期、一六世紀第4四半期前半の三期にわたり変遷する。一六世紀前葉の墓は一基のみで他の二時期との連続性はない。

図38 ● 発掘されたキリスト教施設内の墓地
中町の南端と裏手に墓地を確認。その手前の堀にはさまれて左右にのびる部分は郊外に続く街路。

一六世紀第3四半期の墓は八基あり、乳児・幼児・小児のみの墓である。判別できる埋葬姿勢は側臥屈葬や座葬で、伸展葬はない。また、埋葬範囲も狭く、東西六メートル×南北四メートルの範囲に集中的に埋葬されている。

一六世紀第4四半期前半の墓は、五基の成人墓と四基の乳幼児墓が確認されている。判別できる埋葬姿勢は、可能性を含め伸展葬は成人が二例、幼児が二例ある。他は成人の仰臥屈葬二例、側臥屈葬一例、幼児の側臥屈葬一例である。埋葬状況は成人墓が頭位をほぼ北にし等間隔に配置している。そして乳幼児の墓は特定の成人墓に隣接して埋葬している。

この豊後府内でみつかった墓地について、一五五七年一一月の宣教師の書簡に、我らは「国主がこの豊後においてバルタザール・ガーゴ師に与えた他方の地所を二つに分け、一つは死者のために用い、いま一つには国主の許可を得て病院を一軒設けた」とある。すなわち、キリシタン施設内で、病院と隣接して墓地が用意されたと理解できる。

また埋葬姿勢については、キリシタン大名であった高山右近《たかやまうこん》の大阪府高槻《たかつき》城跡での発掘調査で、二七基のキリシタン墓が明らかにさ

図39 ●**発掘されたキリシタン墓**
当時の一般的な埋葬姿勢は屈葬であるが、この棺の人物は伸展葬で、顔を上に向け、腕を胸の上で交差させている。

れている。棺は木棺で伸展葬のため細長い。二群に分かれるが、方位を北にし、ほぼ等間隔で整然としている。蓋にはイエスを示す「二支十字《にしじゅうじ》」の墨書や木製ロザリオが副葬されたものもある。

また、ルイス・フロイスの著書『ヨーロッパ文化と日本文化』は、「われわれの棺は細長い。彼らのは円状で樽半分程のものである」「われわれの死者は顔を上に向けて横たえられる。彼等の死者は坐らされ、顔を膝の間にはさんで縛られる」と、その違いについて述べている。

以上のことから、中町の裏でみつかった墓地は、病院に隣接するキリシタン墓を含む共同墓地と理解することができる。その被葬者の乳幼児の多さは、宣教師の書簡に記されるキリシタン施設内に一五五五年に設置された育児院で、幼くしてこの世を去った幼児たちを埋葬したものと理解できる。また、伸展葬と屈葬の混在は、病院や教会施設で死を迎えた人びとで、墓所をもたない、キリスト教改宗者と非改宗者を区別することなく埋葬したものと理解できる。

3　信仰の証

先ほども述べたように、豊後府内で布教活動が本格的に始まるのは、一五五三年の宣教師バルタザール・ガーゴの訪問に始まる。この年の一〇月一九日に日本を離れたアルカソヴァ修道士の報告によると、府内について「当市および、その近郊のキリシタンは六百、至七百人であり、デウスの教えは大いに広まりつつある」と報告している。

こうした人びとが、信仰の証として求めたのが、メダイ（メダル）・コンタツ（数珠）などである。フロイスの「日本史」に、一五六三年のこととして「平戸の島々のキリシタンたちは、新来の伴天連《ばてれん》方が聖別したコンタツやヴェロニカを携えて来たことを聞くと、ある者は家を離れ、またある者は妻子を伴い、……横瀬浦に赴いた。そして彼らは何をしに来たのかと問われると、ただ聖別した一個の玉（コンタ）と一個のヴェロニカをもらうだけの目的でやって来た、と述べた」と報告され、『ヨーロッパ文化と日本文化』には「キリシタンの女性は聖物匣《せいぶつばこ》または念珠（ロザリオ・デ・コンタス）を付けている」とその実態が記されている。豊後府内からは、こうした信仰具、あるいはそれと想定できる遺物や、西欧文化に起源をもつ遺物が出土している。

メダイ

メダイとは、直径二センチ程度のメダル状の金属製品で、一端に紐を通す細い穴があり、ペンダント状、あるいはロザリオに付けて用いる。こうしたメダイは、府内で二八点が出

図 40 ● 御内町から出土したメダイ（ヴェロニカ）
片面（左）に布に映ったイエスの顔、反対面（右）にはイエスを抱くマリア像が刻印されている。

土しており、そのほとんどが第2南北街路周辺の町屋部分の天正一四年（一五八六）と想定している焼土層の下層からである。

府内出土のメダイは文様の有無でふたつの種類がある。文様のあるメダイは一点のみであるが、第2南北街路沿いにある御内町で出土している。紐を通す孔の部分は欠けるが、文様は両面にキリスト像と聖母マリア像が刻まれている（図40）。聖母マリア像は、幼いイエスを抱き、背景に光の線が表現されている。もう片面のキリスト像は、布を広げた中央にイエスの顔が表現されている。これは、刑場に引き立てられるイエスの血と埃にまみれた顔をヴェロニカという女性が布で拭ったところ顔が写ったという故事から、それをモチーフにしたものである。このため、このメダイはヴェロニカとよばれている。

ヴェロニカ以外の二七点は無文のメダイである（図41）。紐を通す孔の部分の形態や、孔が正面から貫通するタイプと横からの貫通するタイプなどに差がある

図41 ●豊後府内で鋳造されたメダイ
桜町の礎石建物周辺を中心に出土したメダイ。
1586年以前の初期の国内産メダイといえる。

ものの、本体は円形をしている。これらの多くは、ヴェロニカに比較すると粗雑であり、ただ金属製でメダル状をしている共通点をもつ。

このメダイのなかで、七点が集中的に出土したのが、桜町北端の角地に建つ礎石建物周辺である。この交差点に面しL字状の建物の中庭的な場所からは緑青を含む土壌や炭化物が集中する部分が検出され、太鼓形分銅が多量に出土した場所でもある。すなわち、ここでは、共通する素材である銅・錫・鉛で、太鼓形分銅とともにメダイを鋳造していたといえる。

コンタツ

メダイとともにキリシタンたちが身に付けた信仰具としてコンタツがある。フロイスが「われわれはコンタスを前方に繰って祈る。彼らはいつも後方へ繰って祈る」と記しているように、祈りの場で用いる仏具の数珠と同じような形のものである。その素材も「われわれが祈禱に使う念珠（コンタス）はいつも轆轤《ろくろ》で作られる」と述べ、摂津国高槻に轆轤師《ろくろし》を住まわせコンタツを作製している。実際、大阪府高槻城のキリシタン墓から出土したコンタツも木製であった。その一方、東京駅八重洲北口遺跡のキリシタン墓からは、メダイとともにビーズ状のガラスの小珠が出土しており、コンタツの可能性が強い。このように、コンタツの素材には、木とガラスがあることがわかった。

豊後府内の出土遺物からコンタツの可能性があるものを検討すると、メダイを製作したと想定される桜町の礎石建物から、八重洲北口遺跡と極似するガラス製の小珠三七点がまとまって出土している。さらにその周辺の調査区から直径一・五センチ前後の大型で、花弁状になるよう側面に五～八カ所の刻みを加えたガラス珠が三点出土している（図42）。このような状況から、これらの遺物は、小珠と大珠を数珠状に組み合わせて連ならせ、祈りの回数を爪繰《つまぐ》りながら数えるコンタツとよばれる信仰具になると推測している。

指輪

フロイスは「ヨーロッパの女性は宝石のついた指輪その他の装身具を付ける。日本の女性は一切指輪を付けず、また金、銀で作った装身具も用いない」と記している。しかし、豊後府内の万寿寺西側の第2南北街路の整備以前の一六世紀第3四半期に掘り込まれた廃棄土坑から、錫と鉛の合金で製作された指輪が出土した（図43）。指輪とキリシタンとのつながりは、神戸市立博物館収蔵のキリシタン関連資料に、島原のキリシタンから没収したとされるヴェロニカを含む二点のメダイとともに指輪がある。

日本の伝統的装身具にない指輪は、海外からもたらされた可能性が強く、その背景には島原の例から、宣教師をはじめとするキリスト教関係者が想定できる。

図42 ●豊後府内で出土したコンタツ
側面に刻み目を加え、カボチャ形に仕上げた鉛ガラス製の玉。小さなガラス球と組み合わせ連ねる。

鉛同位対比分析とキリシタン遺物

これらのキリシタンの信仰具であるメダイ・コンタツ・指輪には、量の多少はあるが鉛成分が含まれる。鉛の元素の同位対比は時間が経過しても変化しない性質がある。それを利用し、分析により、製品に含まれる鉛と同じ鉛鉱山の地域を導き出そうとするのが鉛《なまり》同位対比《どういたいひ》分析とよぶ理化学的な手法である。この手法で、古代の青銅器の素材の原産地が、日本・朝鮮半島・華南・華北であることを解明した平《ひら》尾《お》良光《よしみつ》は、豊後府内から出土したこれらのキリシタン系の遺物の分析をおこなった。

その結果、コンタツは華南領域に含まれるものの、ヴェロニカを含むメダイの半数と指輪は、これまで知られていた四つの地域以外の産地の鉛が使用されていることがわかった。

古代には日本列島にもたらされなかったこの新たな鉛供給地の場所は、中世に交流が始まった地域と理解することができる。その担い手は、ポルトガル人や南蛮貿易にかかわった人びとであるとすると、東南アジアやインド・ヨーロッパまでそのルート上に可能性が求められる。

このように、豊後府内から出土するキリシタン遺物は、キリシタンたちの信仰活動の状況を伝えるだけでなく、新たな交易ルートや地域間交流の問題などを提起しているのである。

図43 ● 豊後府内で出土した指輪
万寿寺西側の街路に掘られた廃棄土坑から出土。
鉛と錫の合金で、サイズは11号程度。

第5章　暮らしを垣間見る

1　職人たちの仕事場

これまでみてきたように豊後府内の発掘調査では、陶磁器・土製品・木製品・金属製品・石製品など多様な遺物が出土する。こうした遺物のなかには、中国製陶磁器など明らかに外から搬入されたものもあるが、府内で製作されたものも数多くある。それらは製造にあたり、熟練した技術と特別な知識を必要とするものも多い。このことは、府内およびその周辺に専門の手工業者がいたことを示している。

鍛冶・鋳造の現場

なかでも金属加工は専門性が高く、そうした職人の作業場と想定できる痕跡が確認されている。すでに登場した大友館前の桜町北端の角地は、分銅やメダイを鋳造した場所であった。

第1南北街路沿いの上市町南端の角地からは、焼土とともに重さ数キロもある安山岩製のフイゴの羽口《はぐち》が多数出土している。それに鉄器製作の過程で産出される鉄滓《てっさい》や仕上げ時に必要な砥石も出土しているから、この場所は鍛冶屋であったと考えられる。周辺からは、刀子《とうす》・鉄釘《てつくぎ》・鋤先《すきさき》などの製品も出土している。

こうした常設の金属加工場とは別に、万寿寺の西側の礎石建物周辺では、南北約一・八メートル、東西約一・五メートルの小判形をした浅い掘り込みのなかか

図44 ● 鋳造施設（上）と出土した坩堝・フイゴ・ヤットコ（下）
万寿寺西側の屋敷地でみつかった鋳造施設の遺構と道具。
豊後府内の各所で坩堝・フイゴが出土する。

ら、土製のフイゴの羽口や坩堝《るつぼ》、ヤットコ、台石がみつかった（図44）。このような土製のフイゴの羽口や坩堝は府内の各所で出土している。

宣教師の記録に「鍛冶職人にある他のキリシタンは……ふいごと炭を持って、我らの修道院に仕事をしに来た。……ポルトガルの司祭たちの住まいのために釘を造るのであると答えた」と記されていることから、府内各所で出土する小型のフイゴの羽口や坩堝は、作業現場での鍛冶・鋳造の跡と考えることができる。

また文献資料では、永禄二年（一五五九）に大友義鎮《よししげ》（宗麟）は、鍛冶職人と思われる渡辺氏に鉄砲を製造させ、足利義輝《よしてる》に献上させたという記録がある。この渡辺氏は一六世紀、府内古図に描かれる府内の西側にある駄原《だのはる》村の、梵鐘《ぼんしょう》の製造などをおこなっていた鋳物師集団一族と考えられている。こうした鍛冶・鋳造技術は、領主大友家と結びつき、一五七八年の宣教師のオルガンティーノ書簡には「豊後国主が鋳造させた数門の小型の砲」として登場する。

藍染めの甕？・漆職人

このほか横小路町では、備前焼の大甕を五個一列にして二列に並べて埋めた跡がみつかった。藍染の作業場と類似している。フロイスは、酒屋の風景を「日本人はその酒を大きな口の壺に入れ、封をせず、その口のところまで地中に埋めておく」と記述していることから、藍染めでなくとも、ともかく液体を保管する場合のやり方であったと考えられる。

一六世紀後葉の万寿寺は堀で北と西が区切られているが、北側の堀から漆器椀の内側に黒漆《くろうるし》の塊が着いた資料が出土しており、漆職人が在住していたことを示している。これ以外にも、木製品は刳物《くりもの》・曲物《まげもの》・結桶《ゆいおけ》や下駄《げた》・板材などがあり、それぞれの職人がいたことがわかる。

また、地元の石材を加工した阿蘇溶結凝灰岩製の五輪塔や井戸枠、安山岩製の挽臼《ひきうす》といった石製品、土師器の皿や土錘《どすい》などの土製品が出土している。

さらに、後に豊臣秀吉が京に方広寺《ほうこうじ》を建立した際、当時臼杵に在住していた陳元明《ちんげんめい》や、義鎮が領内の交通税を免じた唐人大工古道《こどう》とよばれる中国人たちの漆喰《しっくい》技術を徴用しており、大友館北側の唐人町の住人は、漆喰塗り技術を保持していたと考えられる。

2　茶の湯のたしなみ

茶の湯に通じた大友宗麟

織田信長・豊臣秀吉をはじめ、戦国武将たちは茶の湯を通じ、大名同士や家臣とのつながりを強めると同時に、豪商たちとの関係を深めていったことは有名だ。

宗麟もその一人であり、茶の湯への執心は京にまで知られ、「似《に》たり茄子《なす》」や「上杉（大友）瓢箪《ひょうたん》」（図45）、「新田肩付《にったかたつき》」といった唐物《からもの》（舶来の高価な茶道具）を多数所有し、堺や博多の豪商たちとのつながりも深かった。その様子は、「天王寺屋会記《てんのうじやかいき》」などの茶会記に残されている。こうした日本人の茶道具に対する美意識を、ルイス・フロイスは「日本人は古い釜や、古いヒビ割れた陶器、土製の器等を宝物とする」と観察している。

茶道具の出土

対外貿易で栄えた豊後府内では、町衆の間でも茶の湯が普及していたと思われ、茶道具と考えられる遺物が多数出土している（図46）。出土する茶道具は、唐物や和物《わもの》の茶碗・茶入《ちゃいれ》・掛花入《かけはないれ》・水指《みずさし》・建水《けんすい》・風炉《ふろ》・茶臼《ちゃうす》などで、町屋の各所から出土している。

茶碗は、和物では瀬戸・美濃産の天目《てんもく》茶碗が多いが、軟質《なんしつ》施《せ》釉陶《ゆうとう》である黒楽《くろらく》茶碗も三個体以上出土している。唐物では朝鮮王朝産陶磁器が目立つ。とくに彫《ほり》三島《みしま》茶碗は中町・林小路町・桜町・万寿寺の西側の屋敷などから六個体が出土している。

茶入は、備前焼と中国製がある。掛花入は裏側が扁平に仕上げられて

図 45 ● 宗麟が所持した茶入れ「上杉（大友）瓢箪」
大内瓢箪—大友瓢箪—上杉瓢箪と所有者が代わるごとに名称が変わった瓢箪形茶入れ。（国指定重要文化財）

図 46 ●**館跡（上）と町屋（下）で出土した茶道具**
茶道具は大友館だけでなく町屋からも多く出土している。
黒楽茶碗・彫三島茶碗（図 30 参照）は注目される。

いる中国製の青磁と備前焼がある。備前焼は、底部が尖るものと、円柱形の平底のものがあり、柱に掛けるための穿孔がある。水差として使用された可能性のある容器は、広口の備前焼がある。また建水の可能性のある器は貿易陶磁器である。このほか備前焼の中の皿や小壺、広口の鉢などは茶道具の可能性が強い。

風炉と想定される遺物は桜町や万寿寺の西側の屋敷などで出土している。器面をヘラで磨き、低い円筒形の脚をもつ。茶臼は、上臼と受けのある下臼が組み合わさった挽臼である。石材の多くが府内周辺では産出しない砂岩であり、商品として搬入された可能性が強い。

これらの茶道具が出土するのは、何度も登場する桜町の北端角地の礎石建物周辺、林小路町、万寿寺の西之屋敷、そして御内町などである。このことから茶道具の主要な出土場所は、府内の町屋のなかでも、比較的上層部に属する人びとが居住する場所であることがわかる。すなわち、豊後府内では、茶の湯をたしなむのは武家、豪商を含む大友家とつながりのある特別な人びとであったと思われる。

3 暮らしを伝える遺物

人びとの生活の様子を示す遺物もたくさん出土している。ここでは、とくに一六世紀の遺物を、装身具・食・祭祀具・生産具・武具・遊具に分け、みていこう。

装身具

戦国時代の京都の風景を描いた「洛中洛外屏風図」には色鮮やかな着物を着た人びとが描かれているが、豊後府内の出土遺物には繊維類は少ないので、どんな着物を着ていたかはうかがえない。しかし、身に付けるものはいろいろと出土している。

まず、頭部を飾るものとして、櫛《くし》・笄《かんざし》が出土している（図47）。櫛は木製で、髪を整える櫛と汚れやゴミをとり除く梳櫛《すきぐし》の二種類があった。前者は木製の一本造りであるが、後者は両側が木製でその間に竹製の櫛を並べ、両面を二本の骨角製の板で押さえている。笄は金属製と骨角製がある。金属製

図47 ●**櫛と笄**
櫛には歯の間隔が狭いものと、広いものがある。笄は青銅製品が多い。

図48 ●**草履**（左）**と下駄**（右）
下駄は杉材を素材としたものが多く、草履は検出時には確認できるが、保存は困難である。

のものは青銅製と金色をしたものがあり、金箔あるいは真鍮《しんちゅう》製の可能性がある。後者と骨角製のものは耳かき状の形をしている。

履物では、草履《ぞうり》と下駄《げた》が出土している（図48）。草履は藁《わら》製であるため、検出時のみ確認できた。下駄は台と歯が一体となった連歯《れんし》下駄と台に歯をとり付ける露卯《ろぼう》下駄がある。出土品は前者が多く、丸太から製作し、年輪の中心が歯にみられる。また連歯下駄では、鼻緒を通す穴がなく、草履を打ち付けた草履下駄も一例あった。露卯下駄も一例のみの出土である。

食生活とその周辺

食に関連する遺物は食器類・調理具・食材に分けて考えられる。食器類は、貿易陶磁器の皿・碗、備前焼の徳利や皿・碗、漆器の皿・椀（図49）、土師器の皿、箸、箸置きと想定されている耳皿、これらを乗せる折敷《おしき》が出土している（図51）。こ

図 49 ● さまざまな漆器椀
万寿寺の堀や井戸など水分を多く含む場所から多くの漆器椀が出土しており、当時の陶磁器以外の食器を知ることができる。

のほか真鍮製の匙も出土した（仏具の可能性もある）。調理具は、包丁のほか、多量の備前焼の擂鉢《すりばち》や挽臼があり、貯蔵用具として備前焼の二石甕や結桶、曲物の柄杓《ひしゃく》が出土している。

以上の調理具で調理された食材は、炭化したコメや豆類をはじめ、貝類や魚類、動物などの残滓が、万寿寺や称名寺をかこむ堀から出土している。食用と考えられる動物遺体としては、貝類としてはサザエ・アワビ・アカニシ・キサゴがあり、魚類では体長三〇センチから六〇センチのマダイ、一メートル以上のマグロ属（図50）、四〇〜五〇センチのフグ科などがある。また、鳥類としてはアビ科・カモ科・キジ科・ニワトリがあり、哺乳類ではニホンシカ・イノシシ・イヌ・タヌキ・ウマ・ウシが出土している。

こうした食材に野菜や果実を含めた調理の記録として「當家年中作法日記」に正月料理から節句

図50 ● マグロ類の脊椎骨
府内の低湿地から骨や貝などの食料残滓が出土。写真はマグロの脊椎骨でぶつ切り状態。

図51 ● 土師質土器（かわらけ）と箸、曲物
低湿地から植物質の遺物が多数出土する。箸は木製で、曲物も多く出土する。

などの四季の行事にともなう料理が記されている。雑煮・焼餅・刺身・雁《がん》の汁・青なます・焼鳥・あわびの汁・かまぼこ・えび・たこ・さざえの壺いりなどがみられる。

一方、キリシタン宣教師の報告には、「府内でおこなった復活祭の翌日、約四〇〇人のキリシタン一同」に「雌牛一頭を買い、その肉とともに煮た米でかれらをもてなした」と記録されている。しかし、一般庶民の日常の食生活は、宣教師の報告に「日本風に調理された米と塩漬けの魚と野菜」「夕食は、幾つかのわずかな山芋と蕪菁《かぶらな》」と記されているように質素なものであったようである。

祭祀具

豊後府内の出土遺物のなかには、前章で述べたキリシタン遺物以外にも、仏教あるいは神道、呪術的要素をもつ遺物や遺構がある。仏教的な遺物としては、三センチ程度の大きさの青銅製の念持仏や懸仏（図52）の一部と判断できるものが出土した。また粘土を型に押して焼成した土製ものも出土している。これも小型である。しかし、こうした遺物の製作時期は不明であるが、一六世紀代でも信仰の証として所持されていたと考えられる。

仏教以外の呪術的な遺物として、万寿寺の西側の堀からは、烏帽子《えぼし》姿の顔を刻んだ棒状の木片（図53）や、長刀や舟と想定できるミニチュア製品（図54）が出土している。こうした遺物は、当時の何らかの祈りを目的に製作されたものと考えられる。

このほかサルやイヌを模した土製品が出土している。とくに桜町を中心に一〇点近く出土し

図 52 ● 懸仏
仏教関係の遺物では、型押しの仏像などがある。

図 53 ● 烏帽子を付けた木製人形
神事に使用したものであろうか。

図 54 ● ミニチュアの船
万寿寺北境の堀から出土した祭祀道具。

図 55 ● 犬形土製品
畿内中心に出土する犬形土製品は府内でも出土し、両地域の交流を示す。

図 56 ● 地鎮祭の跡
かわらけを並べたり、銭を並べた鉢や紐を通した百枚単位の銭を埋めるなど、さまざまな方法が認められる。

ている犬形土製品（図55）は、大阪周辺で出土するものと同じ形態で、両地域に共通する呪術的な行為があったことを示している。

遺構としても、大友館の南側でみつかった大区画の東と西の隅で約百枚を一単位とする緡銭《さしぜに》三本を穴に埋め小石を詰めた跡や、規則性をもって配置された土師質土器がみつかり（図56）、地鎮祭的な行為の跡と推測できる。

武具・生産具

武家の象徴である鎧や武器の出土は多くない。数少ない例は万寿寺の西側の堀からの出土で、鉄砲の火鋏《ひばさみ》と漆塗り小札《こざね》である。前者は青銅製の鋳造品と考えられる。鉄砲の玉と考えられる鉛玉は府内の各所で出土している（図57）。鉄砲は先に述べたように、府内で製造された可能性がある。また刀の刀身の出土はないが、目貫《めぬき》や鞘尻金具《さやじりかなぐ》、切《せっ》羽《ぱ》などの刀装具は出土している。目貫の鋳型も出土していることから府内で製作していたと理解できる。

生産具としては、農具である鉄鋤《すき》・鉄鍬《くわ》をはじめ、鎌《かま》・鉈《なた》などが出土している（図58）。これらは府内の鍛冶屋で製作され、商品として流通していたものと考えられる。フロイスが「日本の鍬の鉄はきわめてせまく細長く凹形をしている」と伝える鍬は、井戸の底や廃棄土坑から

図 57 ● 火縄銃の部品と鉛玉
鉄砲は豊後国でも製造されており、大友宗麟は足利義輝に献上している。

多数出土している。

鍬は街路沿いの町屋の裏手に広がる空閑地を農地として使用していた可能性を示す一方、都市建設のため、堀の掘削や街路整備の必需品であり、数多く製造されたことが推測できる。また、漁具として、鉄製の釣針や土錘《どすい》が出土している。土錘は紡錘形をした魚網錘がほとんどであり、豊後府内の調査区すべてで出土する。東を流れる大分川で使用したものであろうか。

文具・遊具

豊後府内の各調査区で、数量は少ないが、どの調査区でも出土するのが硯《すずり》である（図59）。材質は赤間石《あかまいし》が目立つ。その製作は、府内のノコギリ町周辺から加工痕のある赤間石の原石が一定量出土しており、「七十一番職人歌合」にみる硯士《すずりし》が存在していた可能性が強い。硯とセットになるのが墨であるが、桜町で二点の油煙墨《ゆえんぼく》が出土している（図59）。その表には蛟龍紋《こうりゅうもん》と思われる文様が陽刻され、裏面には「李家烟」と考えられる銘がみられる。この油煙墨は奈良興福寺二諦坊《にたいぼう》で製作されたと考えられている。

図 58 ● 井戸から出土した鉄製農具
鍬や鋤先は府内から多く出土している。耕作だけでなく、掘削具として都市づくりに不可欠な道具であったと考えられる。

遊具と考えられる遺物としては、骨《こつ》牌《ぱい》・賽《さいころ》（図60）や独楽《こま》・将棋の駒・碁《ご》笥《け》の蓋《ふた》・毬杖《ぎっちょう》の球などが出土している（図61）。骨牌は横小路町で出土しており、幅約二センチの骨角製の板に、麻雀牌の筒子《ぴんず》の文様の配置で直径五ミリ程度の窪みがつけられており、遊具と考えられる。賽も骨角製で、桜町の北端の礎石建物周辺から出土している。このほか独楽が唐人町の東側の称名寺の堀から出土している。また万寿寺の西側の堀から出土した将棋の駒には「飛車」、裏面に「龍王」と墨書されている。同じ堀からは碁笥の蓋と極似した形態で、全面に薄く黒漆が塗られている木製品も出土している。さらに、堀からは打毬の球と考えられる円形に仕上げた木球が多く出土する。子どもたちが遊戯中に失くしても容易につくれたためであろうか。

　こうした遺物以外にも、豊後府内からは灯明具や火鉢、ガラス製の皿、鍵と錠前、真鍮製の鎖、結桶や曲物など各種の木製品や竹製品などの生活道具が出土している（図62）。

図 59 ●油煙墨と硯
硯は山口県西部で産出する赤間石が多い。

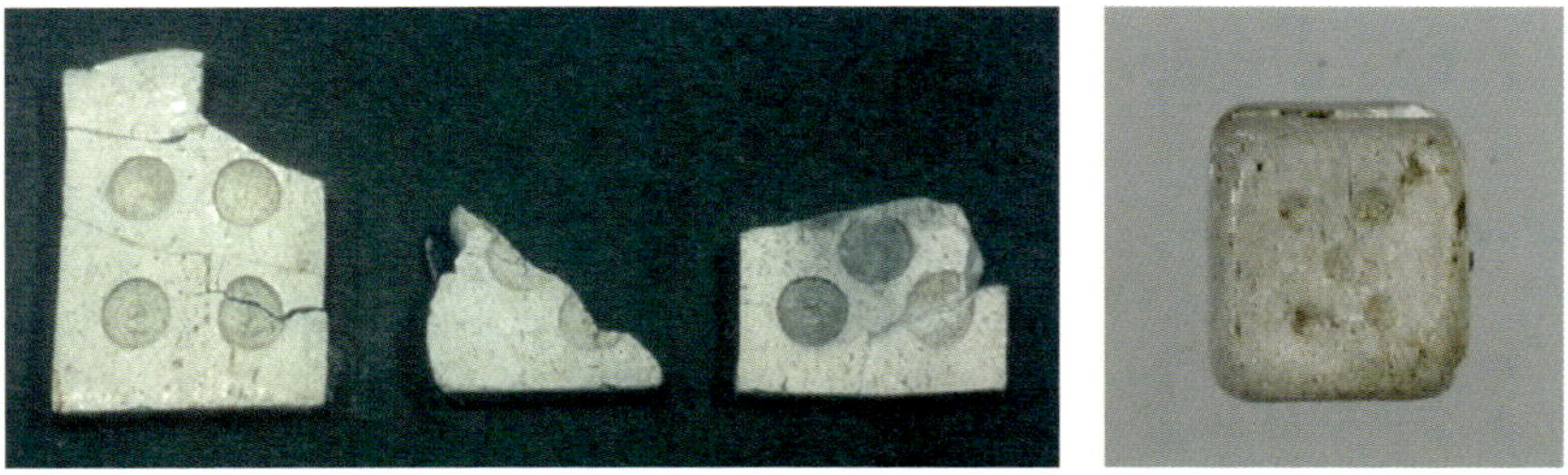

図 60 ●骨牌と賽
骨角製の遊具である。骨牌の使用方法は不明。

将棋の駒

独楽

毬杖の球

碁笥の蓋

図 61 ●**各種の遊具**

将棋や囲碁、独楽や毬杖の球など遊具が出土しており、
余裕ある生活が想像できる。

ガラス製の皿

竹ザル

青銅製の鍵

図 62 ●**さまざまな生活道具**

ガラスの皿や真鍮製の鎖などの海外からもち込まれたものや、国内流通品で
ある備前焼きの製品など他地域との交流を示す遺物が多く出土している。

第6章　戦国の地域王国

1　首都 Bungo Funai

中世京都に似た町並み

以上、豊後府内の町並み・館・キリシタン施設・対外貿易・人びとの暮らしをみてきた。室町将軍邸（図63）をモデルにした大友館が町の中央にあり、碁盤の目状に区画した街路の交差点には木戸を設け、道路に面して町屋が軒を連ねる。町屋の間口は二、三間程度の小規模で、裏には井戸やゴミ穴がある空き地が広がる。こうした小規模の町屋とともに、交差点の角地には間口が広く、町屋の四、五倍もの広さの、「町のおとな」といわれる豪商屋敷や武家屋敷がおかれる。――武家の邸宅、そして寺社、それから町屋がパッチワーク状に入り混じり、「洛中洛外図屛風」に描かれる中世京都の町並みにたいへんよく似ていることがわかってきた。

こうした豊後府内の館や町の様子は、織田信長の安土を嚆矢《こうし》とする近世城下町へつながっていくような都市とはずいぶん異なっている。戦国期の城下町は、大名館の城郭化にともなって、城を中心にそのまわりを家臣屋敷が固め、さらに商工業者の町屋が広がり、堀や土塁などによる「総構え」といわれる防御施設で全体をかこうといったイメージが一般的である。ところが豊後府内は、室町幕府が滅亡したにもかかわらず、京を強く意識した都市改造をおこなったのである。

商業・貿易機能の強い港市

この町は、確かに総構えはなく、開放的である。それに京都を模した豊後府内の代表的な祭りである祇園会《ぎおんえ》では、四つの町から出され

図 63 ● 洛中洛外図屏風に描かれた室町将軍邸（16 世紀前半）
府内古図や発掘成果によると、大友館は築地塀がまわり、入口に門が２つあり、入ると広場があり、その正面に公式の謁見の場である主殿、左手に庭園が広がる。室町幕府のシンボルである将軍邸と同じ構造であることがわかった。

た七本の山車《だし》が巡行した記録があり、町衆の組織である町組の存在を裏付けるものである。

さらに、唐人町や教会・病院などが建ち並ぶ中町の外人居住区を設けたパッチワーク状の空間構造、そして外港沖の浜とその港町のあり方は、この町がいわゆる戦国期城下町のイメージではなく、むしろ博多や長崎のような商業・貿易機能を強くもった、環シナ海沿岸に広く成立した「港市《こうし》」とよばれる都市の形容に近いと思われる。

戦国のなかの特異な都市

しかし、時は戦国時代である。キリシタン大名といわれる大友宗麟《そうりん》は、一面では家中の対立や大内氏、毛利氏、島津氏など周辺大名との抗争の日々を送っていた。とりわけ大友氏の覇権が北部九州に確立する頃になると、薩摩島津氏との関係が次第に悪化していく。天正六年（一五七八）、キリスト教に入信し洗礼を受けた年の日向国への侵攻、そして天正一四年（一五八六）の豊薩戦争である。こうした島津氏との緊迫した情勢に府内は無関係なのだろうか。

府内をとり囲む周辺地域に目を向けてみよう（図64）。たとえば大分川をはさんで町の対岸にあたる下郡では、方一町（約一〇〇メートル）から方半町（約五〇メートル）規模の堀（図65）と土塁で囲まれた堅固な屋敷群が南北の道路に沿って居並ぶ景観が復元された。屋敷をつなぐ道路名とともに屋敷名や持ち主の名前が比定されるものも多くあり、大友惣領家に直属する家臣たちの屋敷群であることがわかった。

この屋敷群は、天正初年頃からはじまった大友館の改修を契機とする都市改造にともなって、

図 64 ● **豊後府内の周辺部**
豊後府内の中心部は二重、三重に守られており、
活発な経済活動を保障していた。

図 65 ● **下郡字城ノ内の屋敷をかこむ大規模な堀跡**
大規模な逆台形の堀（幅約 7.3 m、深さ約 2.2 m）の内側に土塁を盛っており、約 90 m 四方の方形館。史料から大友家直属の橋本氏および宗氏の屋敷と考えられる。

再配置された可能性が高い。町域の武家屋敷、すなわち館に勤める役人や重臣、在地の有力国人たちの府内屋敷などとの機能分化を図ったと考えられる。こうした状況は、周辺部の津守《つもり》・片島、羽屋、宗方《むなかた》・玉沢、賀来《かく》などでも確認されており、屋敷群とともに館城が組み合うところもある。

また、上原館の堀や土塁などの改修とともに、府内の北西約一〇キロに位置する標高六二八メートルの高崎山頂上に築かれた高崎城は、大友氏の技術の粋をかたむけ、各所に石を積み、主郭を中心とする曲輪群を堀切や石塁、畝《うね》状の空堀群で堅く守る大規模な山城につくりかえられた（図66）。

戦国の地域王国 Bungo は、中心部にはまさに「洛中洛外図屏風」の世界を体現する館と市街地を、そして、その外郭に同心円状に、「戦国」に対応する山城と直属の武士（家臣

図 66 ● 大友氏の本城、高崎城（玉永作）
当時の最先端の築城技術を駆使して築かれた大友氏城郭の到達点といえる山城。天然記念物サル生息地でもあり、山頂には往時の姿がよく残されている。

団）がとり囲む空間構造だったのである。

宗麟は、新興国人である信長とは異なり、格式高い守護家の血を引き、いち早く国際社会に雄飛した「進取・開明」の人であった。こうした彼がつくり上げた特異な都市が「Bungo Funai」であった。

2　その後の豊後府内

島津軍の府内占領

さて、高城耳川《たかじょうみみがわ》合戦の後、息子の義統《よしむね》は天正九年（一五八一）に府内コレジオを建設し、天正一〇年（一五八二）には重臣柴田礼能に府内一括統治をさせるなど、大友氏の立て直しをはかっていく。しかし、天正一四年（一五八六）一二月、豊後府内の町は、島津軍の侵攻により焼亡する。

宣教師の記録によると、島津氏の脅威が迫るなか、府内では義統が府内の住人に家財道具の持ち出しや避難を禁じていた。勝利を確信しての沙汰か、あるいはパニックを恐れてのことか定かでないが、大商人などの一部の富豪層は賄賂を駆使して財産の大半をもち出していた。

こうしたなか、島津氏への敗北を察すると義統は、府内を逃走したため、町は大混乱に陥った。あるものは船で避難し、他の者は死に物狂いで山中に逃れたが、敵に捕虜として連行された人びとも甚大な数にのぼった。町は夜通し燃えつづけ、三寺院以外はすべてが焼きつくされ、当時の貿易港であった沖の浜も焼け落ちたと伝えられている。

その後、豊臣秀吉が自ら兵を率いて九州征伐に出陣し、猛威をふるった島津軍は天正一五年（一五八七）三月に府内を退却した。臼杵（丹生島城）にいて、島津の攻撃に籠城して死守した宗麟は、翌年、津久見にて五七年の生涯を終えた。

町が焼き尽くされた痕跡は、いたるところでしかも広範囲で確認されている。桜町跡でみつかった豪商の屋敷は全面焼土で覆われ、倒壊した土壁《つちかべ》や多くの陶磁器が火災にあった状態であった。これらのなかには高級品も多く、避難にあたり逼迫《ひっぱく》した情景がうかがえる。火災処理の穴は、焼土とともに火を受け使えなくなった品々が埋められていた。また、横小路町跡の埋設甕の上半部は、削平されてなくなっていたが、なかには焼土に混じって多量の焼けた陶磁器類が入っていた。これも大甕を使った火災処理の痕跡と考えられる。

近世城下町へ

このように豊後府内は大打撃を受けたが、翌天正一六年（一五八八）の伊勢参宮帳には、すでに多くの府内住民が参詣しており、一、二年の間にかなり復興していた様子がうかがえる。

実際の復興の様子もわかってきた。町のメインストリートである第2南北街路沿いの唐人町や桜町跡では、道路をかさ上げして再舗装をおこない、切石を使った側溝を敷設し、道路に面する町屋は礎石を使ったりっぱな建物へと建て替えられた。

しかし、大友館は同じ場所で再建されなかった。太閤秀吉の助けを受け豊臣政権に組み込まれ、豊後一国の大名となった義統は、高台の上原館に拠点を移し、館城と眼下の城下町といった戦国大名の城下町をつくっていくことになる。大友館のあった敷地には町屋がつくられていった。

大分城とキリシタン弾圧

しかし、義統は文禄の役（一五九二）での失態がもとで翌年豊後国を没収され、大友氏四〇〇年余の時世は終わる。秀吉は、義統を除国するとともに、豊後国を七つに分割して馬廻衆《うままわりしゅう》に分け与える。石田三成の妹婿あたる福原直高《なおたか》は、慶長二年（一五九七）、一二万石を受封して臼杵城主から府内に入り、秀吉から「豊府は豊後国のうちでは咽喉《のど》に当たる所、おまえ自ら要害をみたてて築城にかかれ」との命を受け、四神相応の好地である荷落しの地、すなわち、

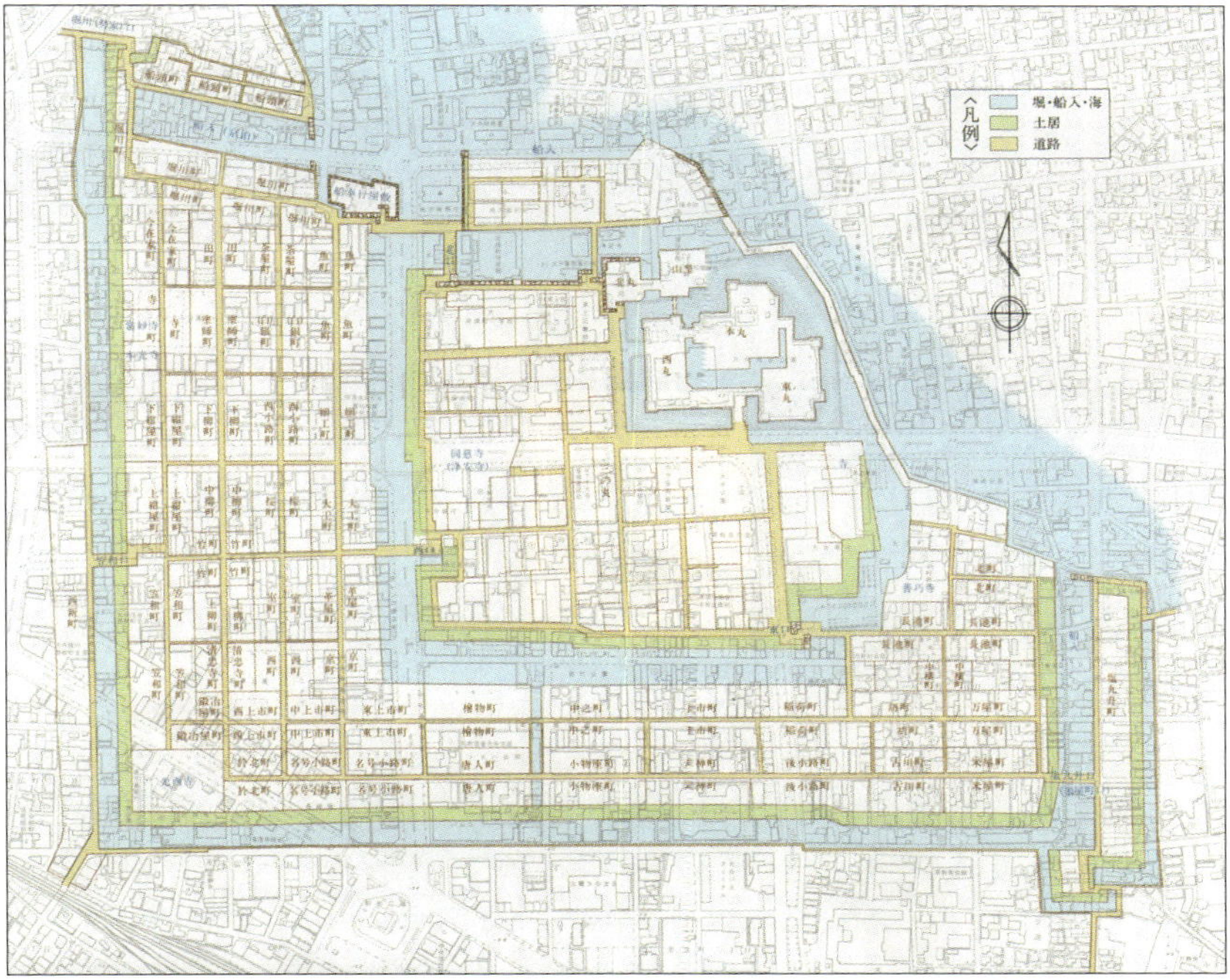

図 67 ● 江戸時代の府内城下町の復元図
城下には 48 の町があり、その多くは戦国時代の町名と同じである。
新国主により、近世城下町へ移転させられたことがわかる。

現在の大分市の中心市街地にあたる大分川河口に、これまでにない高石垣と礎石を使った瓦葺きの壮大な建物による城と町の建設を進めた（図67）。それは新しい時代の到来を告げるもっとも効果的な装置であり、「落」の字は不吉として「荷揚城」（大分城）とよんだ（図68）。

福岡藩医で儒学者、「養生訓」の著で有名な貝原益軒の『豊国紀行』に、「府内の町の西と南とには堀がある。これは城の要害となっている。東と北とは海になっている。城は町の東北の方に位置しており、すこぶる大きな構えである。天守があって、城の出入り口は三ヶ所となっている。町もまたすこぶる広い。この町ではたくさんの商品がそろっている。城主は松平対馬の守（近禎《ちかよし》）殿、二万一千石の領地を持っている。ここ府内の地は、豊後の府だ」と語っている。府内城下町が二万石余の大名のものとしては大きく見えたのは、直高の一二万石に見合った都市計画がその要因であろう。

図 68 ● 現在の大分城（人質櫓）
1945 年の戦災で多くは焼失し、今日残るのは南・西・北の塀と宗門櫓、人質（三番手）櫓だけである。

新府移転は、宗麟が目指した都市とは異なり、信長・秀吉・家康といった天下人の志向する都市となった。そして大友氏の町だった「府内」はほとんど、府内藩の井路《いろ》整備により田園地帯となり、海外との交易により隆盛をきわめた戦国の町は今日まで地下に埋もれることになった。

そして、宗麟が愛し庇護したキリスト教信徒たちは、その後も信仰の世界に生きつづけたが、寛永一四年（一六三七）の島原の乱の勃発は、幕府の脅威となり、寛永のポルトガル船来航禁止令（寛永一九年〈一六三九〉）へとつながり、キリスト教徒の根絶に乗り出すことになった。豊後府内は、明暦三年（一六五七）五月、「豊後露見」（豊後崩れ）が始まり、豊後のキリスト信徒は徹底的に弾圧された。

幕府は、南蛮の都として光り輝いた豊後府内を人びとの記憶からも完全に消し去ろうとしたのである。

図69 ● 近世府内城下の米屋町跡
穀物などを扱う計屋や仲買商といった豪商が商いをしており、出島オランダ商館でみられるクレイパイプや市右衛門人形などの優品が多く出土している。

参考文献

大分県教育庁埋蔵文化財センター　二〇〇五―二〇〇九『豊後府内』1―13
大分県立先哲史料館　一九九九『府内と臼杵から戦国の世界が見える―都市・貿易・民衆』
大分市　一九八七『大分市史』中巻
大分市教育委員会　二〇〇二―二〇〇八『大友府内』4―12
大分市教育委員会　二〇〇六『府内のまち　宗麟の栄華―中世大友再発見フォーラムⅡ』
大分市教育委員会・中世都市研究会　二〇〇一『南蛮都市・豊後府内　都市と交易―中世大友再発見フォーラム』
鹿毛敏夫　二〇〇六『戦国大名の外交と都市・流通』思文閣出版
加藤知弘　一九八五『ザビエルの見た大分』葦書房
神戸輝夫　二〇〇〇「鄭舜功著『日本一鑑』について（正）・（続）」『大分大学教育福祉科学学部研究紀要』第二二巻第一号
木村幾多郎　一九九三「府内古図の成立」『大分市歴史資料館年報』大分市歴史資料館
後藤晃一　二〇〇八「中世大友城下町跡出土のキリシタン遺物」『大分県地方史』二〇三号
五野井隆史　二〇〇二『日本キリシタン史の研究』吉川弘文館
坂本嘉弘　二〇〇六「豊後『府内』の都市構造と外国人の居住」『中世の対外交流』高志書院
高畠　豊　二〇〇一「戦国時代豊後府内の貿易陶磁器」『南蛮都市・豊後府内』大分市教育委員会
玉永光洋　一九九七「豊後府内の形成と寺院」『中世都市研究4　都市と宗教』新人物往来社
玉永光洋　二〇〇三「大友府内町」『戦国時代の考古学』高志書院
坪根伸也　二〇〇六「豊後府内の歴史的展開と特質」『守護所と戦国城下町』高志書院
坪根伸也　二〇〇八「大友館の変遷と府内周辺の方形館」『戦国大名大友氏と豊後府内』高志書院
松田毅一・川崎桃太訳　一九七七―一九八〇『フロイス　日本史』1―12　中央公論社
松田毅一監訳　一九八七―一九九四『一六・七世紀イエズス会日本報告集』同朋社
森村健一　二〇〇二「15から17世紀における東南アジア陶磁器からみた陶磁の日本文化史」『陶磁器が語るアジアと日本』国立歴史民俗博物館
森村健一　二〇〇四「堺から出土したタイ・ベトナム陶磁」『シンポジウム　陶磁器が語る交流』東南アジア考古学会
吉田　寛　二〇〇四「大分・府内から出土した東南アジア産陶磁」『シンポジウム　陶磁器が語る交流』東南アジア考古学会
渡辺澄夫　一九八一『増補改訂　豊後大友氏の研究』第一法規
ヴァリニャーノ／松田毅一他訳　一九七三『日本巡察記』平凡社
メンデス・ピント／岡村多希子訳　一九七九・一九八〇『東洋遍歴記』1―3　平凡社

大友氏遺跡体験学習館

・大分市大字大分4257番地の1
・電話　097（544）5011
・開館時間　9：00～17：00（入館は16：30まで）
・休館日　第1火曜日、第2～5月曜日（祝日の場合は翌日）、12月28日～1月4日
・入館料　無料
・交通　JR大分駅よりタクシーで約5分。車で大分道「大分IC」より庄の原佐野線経由約15分

大友氏遺跡体験学習館の外観

大友氏の菩提寺万寿寺跡にある大友氏遺跡の体験館。施設内には、出土品の展示や出土品に触れることのできるコーナー、映像を使った遺跡の解説、遺跡に関する書籍を利用できるブースなどがあり、わかりやすく戦国時代の歴史を学ぶことができる。

体験学習の様子

大分県教育庁埋蔵文化財センター

・大分市大字中判田1977番地
・電話　097（597）5675
・見学時間　9：00～16：30
・休館日　土・日曜日、祝日、12月29日～1月3日
・入館料　無料
・交通　JR豊肥線中判田駅から徒歩15分。車で大分道「米良IC」より下郡バイパス経由5分。

大分県内の埋蔵文化財を調査・収蔵・展示する施設。施設内には、本書の中世大友府内町跡の発掘資料をはじめ、県内出土の各時代の遺物を収蔵・展示している。

大分県教育庁埋蔵文化財センター

刊行にあたって

「遺跡には感動がある」。これが本企画のキーワードです。

あらためていうまでもなく、専門の研究者にとっては遺跡の発掘こそ考古学の基礎をなす基本的な手段です。また、はじめて考古学を学ぶ若い学生や一般の人びとにとって「遺跡は教室」です。

日本考古学では、もうかなり長期間にわたって、発掘・発見ブームが続いています。そして、毎年厖大な数の発掘調査報告書が、主として開発のための事前発掘を担当する埋蔵文化財行政機関や地方自治体などによって刊行されています。そこには専門研究者でさえ完全には把握できないほどの情報や記録が満ちあふれています。しかし、その遺跡の発掘によってどんな学問的成果が得られたのか、その遺跡やそこから出た文化財が古い時代の歴史を知るためにいかなる意義をもつのかなどといった点を、莫大な記述・記録の中から読みとることははなはだ困難です。ましてや、考古学に関心をもつ一般の社会人にとっては、刊行部数が少なく、数があっても高価なその報告書を手にすることすら、ほとんど困難といってよい状況です。

いま日本考古学は過多ともいえる資料と情報量の中で、考古学とはどんな学問か、また遺跡の発掘から何を求め、何を明らかにすべきかといった「哲学」と「指針」が必要な時期にいたっていると認識します。

本企画は「遺跡には感動がある」をキーワードとして、発掘の原点から考古学の本質を問い続ける試みとして、日本考古学が存続する限り、永く継続すべき企画と決意しています。いまや、考古学にすべての人びとの感動を引きつけることが、日本考古学の存立基盤を固めるために、欠かせない努力目標の一つです。必ずや研究者のみならず、多くの市民の共感をいただけるものと信じて疑いません。

監　修　戸沢　充則
編集委員　勅使河原彰　小野　昭
小野　正敏　石川日出志
小澤　毅　佐々木憲一

著者紹介

玉永光洋（たまなが・みつひろ）

1952年生まれ。東洋大学文学部卒業
大分市教育委員会教育総務部次長を経て、現在、文化財課特別顧問
主な著作　「豊後府内の形成と寺院」『中世都市研究4』新人物往来社、「大友府内町」『戦国時代の考古学』高志書院

坂本嘉弘（さかもと・よしひろ）

1951年生まれ。別府大学文学部卒業
大分県教育庁埋蔵文化財センター次長を経て、現在、同嘱託
主な著作　「豊後『府内』の都市構造と外国人の居住」『中世の対外交流』高志書院、「中世都市豊後府内の変遷」『戦国大名大友氏と豊後府内』高志書院

写真提供（所蔵）
大分市歴史資料館：図1・5（同9・26・36個人蔵）・28（勝光寺所蔵）
大分市教育委員会：図2・7・15・16・18・19・20・24・29①③④・30③・31①・32②・34・46上・65・68・69
大分県教育庁埋蔵文化財センター：図3・8・12・13・23・25・29②・30①②・31②③・32①③・38～44・46下・47～62
米沢市上杉博物館：図11
野村美術館：図45
国立歴史民俗博物館：図63

図版出典
図4：国土地理院発行5万分の1地形図「大分」、図6：『大分市史』中巻付図、図17：長直信作成、図22・27・37：鈴木慎一作成、図64：坪根伸也「大友館の変遷と府内周辺の方形館」、図67：『大分市史』中巻付図

上記以外は著者

シリーズ「遺跡を学ぶ」056
大友宗麟《おおともそうりん》の戦国都市・豊後府内《ぶんごふない》

2009年4月20日　第1版第1刷発行
2013年5月10日　第1版第2刷発行

著　者＝玉永光洋、坂本嘉弘

発行者＝株式会社 新 泉 社
東京都文京区本郷2-5-12
振替・00170-4-160936番　TEL03(3815)1662／FAX03(3815)1422
印刷／萩原印刷　製本／榎本製本

ISBN978-4-7877-0936-3　C1021

シリーズ「遺跡を学ぶ」

第Ⅰ期（全31冊完結・セット函入46500円＋税）

01 北辺の海の民・モヨロ貝塚　米村衛
02 天下布武の城・安土城　木戸雅寿
03 古墳時代の地域社会復元・三ツ寺Ⅰ遺跡　若狭徹
04 原始集落を掘る・尖石遺跡　勅使河原彰
05 世界をリードした磁器窯・肥前窯　大橋康二
06 五千年におよぶムラ・平出遺跡　小林康男
07 豊饒の海の縄文文化・曽畑貝塚　木﨑康弘
08 未盗掘石室の発見・雪野山古墳　佐々木憲一
09 氷河期を生き抜いた狩人・矢出川遺跡　堤隆
10 描かれた黄泉の世界・王塚古墳　柳沢一男
11 江戸のミクロコスモス・加賀藩江戸屋敷　追川吉生
12 北の黒曜石の道・白滝遺跡群　木村英明
13 古代祭祀とシルクロードの終着地・沖ノ島　弓場紀知
14 黒潮を渡った黒曜石・見高段間遺跡　池谷信之
15 縄文のイエとムラの風景・御所野遺跡　高田和徳
16 鉄剣銘一一五文字の謎に迫る・埼玉古墳群　高橋一夫
17 石にこめた縄文人の祈り・大湯環状列石　秋元信夫
18 土器製塩の島・喜兵衛島製塩遺跡と古墳　近藤義郎
19 縄文の社会構造をのぞく・姥山貝塚　堀越正行
20 大仏造立の都・紫香楽宮　小笠原好彦
21 律令国家の対蝦夷政策・相馬の製鉄遺跡群　飯村均
22 筑紫政権からヤマト政権へ・豊前石塚山古墳　長嶺正秀
23 弥生実年代と都市論のゆくえ・池上曽根遺跡　秋山浩三
24 最古の王墓・吉武高木遺跡　常松幹雄
25 石槍革命・八風山遺跡群　須藤隆司
26 大和葛城の大古墳群・馬見古墳群　河上邦彦
27 南九州に栄えた縄文文化・上野原遺跡　新東晃一
28 泉北丘陵に広がる須恵器窯・陶邑遺跡群　中村浩
29 東北古墳研究の原点・会津大塚山古墳　辻秀人
30 赤城山麓の三万年前のムラ・下触牛伏遺跡　小菅将夫
別01 黒耀石の原産地を探る・鷹山遺跡群　黒耀石体験ミュージアム

第Ⅱ期（全20冊完結・セット函入30000円＋税）

31 日本考古学の原点・大森貝塚　加藤緑
32 斑鳩に眠る二人の貴公子・藤ノ木古墳　前園実知雄
33 聖なる水の祀りと古代王権・天白磐座遺跡　辰巳和弘
34 吉備の弥生大首長墓・楯築弥生墳丘墓　福本明
35 最初の巨大古墳・箸墓古墳　清水眞一
36 中国山地の縄文文化・帝釈峡遺跡群　河瀬正利
37 縄文文化の起源をさぐる・小瀬ヶ沢・室谷洞窟　小熊博史
38 世界航路へ誘う港市・長崎・平戸　川口洋平
39 武田軍団を支えた甲州金・湯之奥金山　谷口一夫
40 中世瀬戸内の港町・草戸千軒町遺跡　鈴木康之
41 松島湾の縄文カレンダー・里浜貝塚　会田容弘
42 地域考古学の原点・月の輪古墳　近藤義郎・中村常定
43 天下統一の城・大坂城　中村博司
44 東山道の峠の祭祀・神坂峠遺跡　市澤英利
45 霞ヶ浦の縄文景観・陸平貝塚　中村哲也
46 律令体制を支えた地方官衙・弥勒寺遺跡群　田中弘志
47 戦争遺跡の発掘・陸軍前橋飛行場　菊池実
48 最古の農村・板付遺跡　山崎純男
49 ヤマトの王墓・桜井茶臼山古墳・メスリ山古墳　千賀久
50 「弥生時代」の発見・弥生町遺跡　石川日出志

第Ⅲ期（全26冊完結・セット函入39000円＋税）

51 邪馬台国の候補地・纒向遺跡　石野博信
52 鎮護国家の大伽藍・武蔵国分寺　福田信夫
53 古代出雲の原像をさぐる・加茂岩倉遺跡　田中義昭
54 縄文人を描いた土器・和台遺跡　新井達哉
55 古墳時代のシンボル・仁徳陵古墳　一瀬和夫
56 大友宗麟の戦国都市・豊後府内　玉永光洋・坂本嘉弘
57 東京下町に眠る戦国の城・葛西城　谷口榮
58 伊勢神宮に仕える皇女・斎宮跡　駒田利治
59 武蔵野に残る旧石器人の足跡・砂川遺跡　野口淳
60 南国土佐から問う弥生時代像・田村遺跡　出原恵三

A5判／96頁／定価各1500円＋税

61 中世日本最大の貿易都市・博多遺跡群　大庭康時
62 縄文の漆の里・下宅部遺跡　千葉敏朗
63 東国大豪族の威勢・大室古墳群〔群馬〕　前原豊
64 新しい旧石器研究の出発点・野川遺跡　小田静夫
65 旧石器人の遊動と植民・恩原遺跡群　稲田孝司
66 古代東北統治の拠点・多賀城　進藤秋輝
67 藤原仲麻呂がつくった壮麗な国庁・近江国府　平井美典
68 列島始原の人類に迫る熊本の石器・沈目遺跡　木﨑康弘
69 奈良時代からつづく信濃の村・吉田川西遺跡　原明芳
70 縄紋文化のはじまり・上黒岩岩陰遺跡　小林謙一
71 国宝土偶「縄文ビーナス」の誕生・棚畑遺跡　鵜飼幸雄
72 鎌倉幕府草創の地・伊豆韮山の中世遺跡群　池谷初恵
73 東日本最大級の埴輪工房・生出塚埴輪窯　高田大輔
74 北の縄文人の祭儀場・キウス周堤墓群　大谷敏三
75 浅間山大噴火の爪痕・天明三年浅間災害遺跡　関俊明
別02 ビジュアル版 旧石器時代ガイドブック　堤隆

第Ⅳ期　好評刊行中

76 遠の朝廷・大宰府　杉原敏之
77 よみがえる大王墓・今城塚古墳　森田克行
78 信州の縄文早期の世界・栃原岩陰遺跡　藤森英二
79 葛城の王都・南郷遺跡群　坂靖・青柳泰介
80 房総の縄文大貝塚・西広貝塚　忍澤成視
81 前期古墳解明への道標・紫金山古墳　阪口英毅
82 古代東国仏教の中心寺院・下野薬師寺　須田勉
83 北の縄文鉱山・上岩川遺跡群　吉川耕太郎
84 斉明天皇の石湯行宮か・久米官衙遺跡群　橋本雄一
85 奇異荘厳の白鳳寺院・山田寺　箱崎和久
86 京都盆地の縄文世界・北白川遺跡群　千葉豊
87 北陸の縄文世界・御経塚遺跡　布尾和史
88 東西弥生文化の結節点・朝日遺跡　原田幹
別03 ビジュアル版 縄文時代ガイドブック　勅使河原彰